一本男人女人都要看，
8 歲到 88 都要讀的兩性聖經！

為什麼男人愛說謊，女人愛哭？

Why Men Lie and Women Cry?

亞倫・皮斯 & 芭芭拉・皮斯 Allan Pease & Barbara Pease—著
羅玲妃・陳麗娟—譯

前言

人呱呱落地時全身赤裸，又濕又餓。而且接下來凡事只變得更糟。

爲什麼男人要說謊？爲什麼他們老覺得自己什麼事都是對的？爲何他們不肯許下承諾？另一方面，爲什麼女人喜歡用哭這一招來達到自己的目的？爲什麼她們愛講同一個話題，死都不肯換？爲什麼她們對房事不能更主動一點？

雖然已邁入二十一世紀，但是兩性之間的隔閡、誤解、衝突仍然時時出現在我們的生活中，和當年亞當愛上夏娃時一樣。我們花了近三十年的時間，透過實驗、分析無數影片、寫書、上電視演講，以及舉行研討會等種種方式，和大眾分享並討論男女大不同的原因。我們接到數千種問題，而這些問題都是在問爲什麼男人、女人會有哪一種特別的反應。我們接到許多對異性行爲感到困惑的信件、電話以及電子郵件，如雪片般紛飛而來的資訊令我們感到挫敗、無助，爲什麼？因爲我們知道該怎麼解決這些問題。這本《爲什麼男人愛說謊、女人愛哭？》便是爲此而誕生。

書中我們歸納了四十個各地讀者與聽眾最常提出的問題，然後盡我們所能，依據自身的經驗、研究、觀察，以及最新的研究成果與科學上的發現，最後再加上一般常識來解答這些常見的問題。除此之外，我們還詳細敘述解決辦法，教導各位與異性溝通的正確方式。

《爲什麼男人愛說謊、女人愛哭？》處理的問題，大多是『非知道不可』的重量級問題，比如說，每個女人在星期天凌晨一點都會問：『爲什麼男人老愛對別的女人放電？』還有：『爲什麼男人老愛告訴我該怎麼做、該怎麼想？』

然後星期天早上十點，也有不少複雜難題糾纏著男人，不管他們醒來時是自己一個人，或是有枕邊人但早已不再交談的，例如：『爲什麼女人老是不說重點？』『爲什麼她們那麼愛嘮叨？』還有：『爲什麼我星期天早上十點一定得撿襪子？』

女人在找到丈夫之前，一直擔心自己的未來。
而男人是在娶了老婆之後，才開始擔心自己的未來。

《爲什麼男人愛說謊、女人愛哭？》指出許多大家忽略，但卻是十分明顯的事情。你可能有注意到，很多女人有一種生理上的強烈欲望，驅使她們買裝飾用的靠墊，以及趁男人外出晚歸時，重新擺設家中的家具。或是觀察到，只有少數女性會興奮的看同一場運動比賽的重播，就像很少有男人生活中的主要娛樂，是發現衣櫥中有名家設計的衣服。

男女相處為何那麼難？

在今日當男性其實並不簡單。自一九六〇年開始，女性主義抬頭之後，女性的自殺率降低百分之三十四，可是男性的自殺率卻提高了百分之十六。即使如此，焦點還是大多集中在女人命運多舛之上。

在二十世紀後期，女人找到了自己的自由，而且常把男性視爲敵人，戀人與家人的關係經常變得很緊綳。女性的忿忿不平，讓男性感到茫然困惑。男人是一家之主，是負責養家活口的人，他的話就是法令，該他決定的事，絕不讓人有別的意見。他既是保護者，也是負責養家的人。而他妻子的身分是母親、管家、社交秘書，以及負責照顧老人的人。他清楚自己該負的責任，而他的妻子也明白自己該做哪些事。生活就這麼簡單。

然而突然間所有事都變了。電視連續劇和廣告展現男人在聰明、優秀的女人面前有多笨，多無能。越來越多女人追求男女平等。問題是，女人似乎知道自己要什麼，以及該走的方向，這令許多男人覺得跟不上她們。

如果女人在大庭廣眾前甩男人一巴掌，所有人都會認爲是那個男的有錯。

男人似乎常搞不清楚規則。例如：女人大聲說男女不平等時，會引來同情，但是當男人這麼說時，只會被人當成是憎恨女人的人。以前只有男人會講損人的笑話，現在講損人笑話的女人比男人還多。你每天收到的電子郵件中，都會有類似底下例子的信件：

『你有沒有注意到，很多和婦女病有關的字，都是以和男性有關的字做開頭的？Men-opause 更年期 、Men-strual pain 經痛、Men-tal illness 精神病、Guy-naecologist 婦產科醫師 、His-terectomy 子宮切除術。』

最近女性常講的笑話中，最讓男性覺得士氣大挫並備感威脅的是底下這個：

男人的定義是什麼？陽具的維生系統。

這話對男人而言是奇恥大辱，所以在這個時代才會有那麼多男人得憂鬱症。現在男性的自殺率可說是有史以來最高的，而且不分老少，其中以日本男性爲最。男人不再知道他們該負責的工作是什麼，況且他們沒有任何可參考的對象。

現代的女人也變強悍了。女權主義成爲表達男女不平等的方式，它讓女性可以得到自由的保證，讓她們不用再受困於廚房中。現今的西方社會裡，有百分之五十左右的女性有工作，其中有些是出於自願的，有些則不是。

在英國，由單親母親主導的家庭占五分之一，但以單親父親爲主導的只占五十分之一。這些女性不只扮演著母親的角色，還扮演著父親以及養家者的角色。現在的女人和以前的男人一樣，會得到潰瘍、心臟病，還有壓力所引起的疾病，並被這些病痛折磨。

據估計，女性中得到貪食症的比率是百分之四到百分之五。但是在男性中，三百個男性才有一個會得到貪食症。

按估計，到西元二〇二〇年，西方女性有百分之二十五會保持單身，終身不婚。這種現象並不正常，不僅徹底違反人類的基本需要，還違反了生物學。女性現在是工作過度，使得她們常常生氣，並且越來越孤單。男人感覺到女人要他們思考，不只這樣，行爲還要像女人。我們全部被搞糊塗了。這本書提出了一個藍圖，能幫助你通過感情的迷宮，讓你能辨認出錯誤的入口，以及看出陷阱、死路的所在。

為何男人和女人會有這麼多問題

在演化過程中，女性是孕育子女者，也是家的守護者，因此女性的大腦就朝教養、哺育、愛以及照顧別人生活這個方向發展。而男人則是完全相反，他們是獵人、保衛者、養家者，有任何問題都要由他們解決。男人和女人的大腦功能，以及處理事情輕重緩急的順序完全不同，其實這是有科學根據的。高科技的腦部掃描，證實了這一點。

關於感情方面的書，作者大多是女性，而購買這類書籍的人，有百分之八十以上是男性。這類書籍的內容大多集中在男性身上，敘述他們做錯了哪些事，以及如何讓他們改進。婚姻諮詢和心理治療師也都是女性居多。對中立的觀察者而言，他們也許會覺得女性比男性更關心感情。

從許多角度來看，這的確是事實。因爲注重感情並不屬於男人心智的一部分，他們不會把感情擺在優先地位。因此，在感情方面，男人不是連試都不試，就是早已放棄，因爲他們覺得女人的思考與行爲都太複雜了。感情方面的事有時候似乎太困難了，早點放棄比較簡單，免得最後落得滿盤皆輸。但是事實上男人和女人一樣，都很希望有個幸福、健康、美滿的感情。他們只是認爲有一天自然而然就會有完美的情感，因此沒必要急著去研究或是做準備。女人常犯一個錯誤，就是以爲愛她的男人就是了解她的男人。可是通常他並不了解她。男女之所以稱做『異性』是有好理由的，男女就是『相反』的。

> 女人只要認識一個男人，就能了解所有男人；
> 然而男人即使認識所有女人也不見得了解女人。
> ——海倫・羅蘭，美國記者

在交配儀式、求偶以及交往方面，人類是所有生物中最常出問題的，其他生物都很順利，而且都相處得很好。即使像蜘蛛黑寡婦以及螳螂這種在交配完後會殺死伴侶的生物，也知道交配遊戲的規則，並且忠實遵守著。

再以章魚爲例，牠是一種腦袋很小的簡單生物，可是從來不會爲了男女的不同而爭吵，不會有房事爭執，也不會爭誰的權力比較大。母章魚在發情的時候，公章魚會在母章魚面前揮舞觸角，母章魚就從中挑一個最喜歡的觸角，選牠做爲入幕之賓。母章魚從不會罵公章魚不夠在意她，公章魚則從不煩惱對自己好的事，是否對母章魚也好。沒有三姑六婆在一旁給所謂的忠告，母章魚也從不煩惱自己是否看起來胖，也不渴望有個觸腳舞動較緩慢的伴侶。

然而人類可是複雜上好幾倍。女人說她們想要的是敏感細膩的男人，但又不希望他們『太』細膩。男人很難弄清楚其中細微的差別。他們不了解，對於女人的感覺要敏感，在其他方面就要強悍，要有男子氣概。男性可以在本書中發現並學習到一些技巧，有助於你們畫出一條走出迷宮的路。同樣的，除了了解男人要的是什麼之外，本書還會教女性應付男性的技巧。

在網路的入口網站中輸入『男女感情』以及『性』進行搜尋，光是英文網站，你就能得到三六七一四筆資料，等著幫助你改善狀況。其他動物在感情交往方面的程式是非常直截了當的，因爲牠們受到物種生存需要的驅使。牠們不會想太多，而會直接採取行動。不過人類已經進化到需要知道怎樣才最能與異性和睦相處、如何抓住每一個過快樂豐富生活的機會，以及如何享受分享樂趣的喜悅與興奮。

環遊世界

《爲什麼男人愛說謊、女人愛哭？》是《爲什麼男人不聽、女人不看地圖？》的進階，涵蓋了許多我們生活中很少思考到的領域，或者甚至是沒注意到的地方。爲了寫這本書，我們造訪過三十幾個國家，搜集了許多資料研究各地的男女關係。我們試著要證實一些普遍的現象，並且釐清一些常見的問題，然後找出我們相信可行且實用的解決之道。書中所陳述的行爲與情節，並不見得每一個人、每一種情形都適用。這些都是眞人實事，其中的定律適用於大多數人，及他們大部分和異性交往時的情形。不管是和異性住在一起，或是爲異性工作，嘗試和異性交往，還是愛上異性，只要方法對，大多時候都能和異性相處融洽，你的生活也會變得更快樂些。不幸的是，我們發現，大多數人都沒有用對方法。

以英國爲例，結婚四年後離婚的比率已超過五成，如果加上沒結婚的情侶一起算，分手的比率可能是六到八成。

百分之百的離婚以婚姻爲開始。

《爲什麼男人愛說謊、女人愛哭？》讓你有機會把這種痛苦、煩惱、困惑逐出你的生活。你會發現，所有事情都變容易了。書中充滿了一般常識以及科學實證，這些都是極有力的知識，不過以輕鬆、幽默的方式表達。本書也會解釋『另一半』的行爲，有可能是你的伴侶、兒子、女兒、母親、父親、姻親、朋友或鄰居。

學習第二語言

想要與異性相處融洽，你必須要會說兩種語言：『男人語』和『女人語』。舉例來說，如果你的母語是英語，當你去法國玩時，你不會用英語點炸魚排與薯條。因爲法國人聽不懂。如果你是法國人，到英語系國家旅行，你也不會用法語點烤蝸牛。因爲當地人會聽不懂。不過你可以買一本簡單的翻譯書，知道另一種語言的基本字彙和慣用語怎麼說，這對你在這個國家旅行很有幫助，這個國家的人會對你有好印象，即使你說得坑坑疤疤，他們還是願意幫助你。加上他們知道你試圖了解他們，想和他們溝通，這會讓他們對你另眼相看。

『我得變性嗎？』

常有人問我們：『你們是說，在思考、說話，以及行爲方面都得要像異性嗎？』當然不是。買手機時，都會附上使用手冊。學會怎麼使用設定你的電話後，你可以從中得到許多樂趣，並且能好好運用它。你不會控告電話公司，指責他們附上使用手冊，是試圖把你變成電話工程師。《爲什麼男人愛說謊、女人愛哭？》的作用，就等於是一本使用手冊，用來了解異性，並知道按下哪個鍵會得到最好的效果。一旦女人明白男人是如何演化而來的，自然就很容易接受他們不同的行爲模式與思考過程。同樣的，男人了解到女人的演化過程與他們不同後，便能夠從她們生活經驗與對生活的見解獲益。

親身經驗

我們，本書的作者，是一對婚姻美滿的夫妻，對彼此忠誠的愛人，同時也是最要好的朋友。我們育有四個美麗的孩子。在《爲什麼男人愛說謊、女人愛哭？》中，在告訴你如何以不同的觀點，平衡看待男女關係時，我們加入了自己的經驗與想法，希望這當中沒有偏頗。爲了寫這本書而搜集的資料，讓我們更了解對方，不只這樣，也更了解我們的父母、兄弟、姐妹、表親、同事以及鄰居。雖然不見得總是做得很好，但是我們覺得，大多時候對大部分人，我們都是秉持著正確的態度。這麼一來，我們變得很少和親人吵架，每個人也都因此很喜歡我們。雖然不是十全十美，但很少出狀況。

怎麼把本書當做禮物

《爲什麼男人不聽、女人不看地圖？》在各個國家的銷售成績都很好（銷售超過七百萬本，而且到目前爲止，已翻譯成四十種語言），使得有些男人指責我們讓他們的生活更難過了。他們覺得，女人老是拿我們的書，煩著他們說：『亞倫這麼說的。』或是：『芭芭拉說……』

不管在哪個國家，女人都特別喜愛《爲什麼男人不聽、女人不看地圖？》這本書，我們知道有些人的確把它當成禮物送給她們的男性朋友，還撂下一句話：『你需要這本書！並且是從頭到尾仔細讀一遍……其實我已經把你該看的部分做好記號了。』

當女性把一本自我成長的書送給女性朋友時，收到書的人會覺得很榮幸，並且感謝朋友送一份可以幫助她成長的禮物。可是男人不一樣，送這類禮物給他，他會覺得妳在羞辱他，認爲妳送他這樣的書，是覺得他不夠好。他會把書還給妳，不服的說：『我不需要這個！』讓妳傷心難過。

因此，如果你是男性，而且正在看這本書，那麼你是少數想知道女人的思考方式、想了解女人行爲的男性，在這邊恭喜你啦！如果是女性，那妳最好先問他對書中建議的想法，因爲男性喜歡提出自己的看法。把妳想要他看的部分標起來，然後把書放在茶几上或是放在廁所裡。或者是幫他買張入場券，讓他來參加我們舉辦的感情研討會。

最後……

有人說當男人很棒，因爲修車師傅告訴你的話就是眞理，因爲皺紋反而能增加魅力，因爲你的內褲一包六件才二百九十九元，而且巧克力不過是另一種無聊的零嘴。和人說話時不會有人盯著你的胸部看，而且你也不需要跑去洗手間調整衣服或補妝。

有人說當女人很棒，因爲在和異性說話時，妳不用去想像他裸體的模樣，計程車總是會爲妳停下，還能以神秘莫測的生理失調來嚇唬男老闆。跳舞時妳不會像隻被丟進攪拌器裡的青蛙一樣笨手笨腳的，如果嫁給一個小妳二十歲的人，那表示妳風韻猶存，還能談姐弟戀。

也許有天，男人會像女人，女人會像男人。也許女人會愛上看賽車比賽，把逛街購物當做是累人的有氧運動。男人則是每年得用一個月的時間，來假裝有經前症候群。說不定所有的馬桶都變成蹲式的，女人只會在廣告時間聊天，而男人會從文學的角度來看《花花公子》。

上述的情況恐怕很難吧，就算會發生，至少也是幾千年以後的事了。在那之前，我們還是要試著了解、應付，以及學著如何去愛彼此之間的差異。我們得到的回報，會是愛和珍惜。

好好享受這本書帶給你的新發現吧！

芭芭拉・皮斯

亞倫・皮斯

chapter **1**

碎碎唸

當某人嘮叨不停時

你沒有把髒衣服放好！
你沒有把髒衣服放好！

你沒有去倒垃圾！
你沒有去倒垃圾！

不要在屋裡抽煙！
不要在屋裡抽煙！

你到底有沒有聽到啊—……
你到底有沒有聽到啊—……

碎碎唸通常是男人用來形容女人的專用詞。

大部分女人不承認她們會碎碎唸。她們認爲自己在生活中扮演的是提醒的角色，提醒男人去做一些該做的事，像是：幫忙做些家務雜事呀、該吃藥啦、哪樣東西壞了要修喔、去收拾自己弄得亂七八糟的東西。有時女人嘮叨的事是具有建設性的。要不是有個女人在一旁叮嚀男人，要他們不要喝太多啤酒，不要太常吃速食，他們會適可而止嗎？他們眞的會去運動嗎？會定期檢查膽固醇濃度嗎？有時候簡直可以說，嘮叨讓男人得以繼續活命。

然而如果是男人嘮叨，那麼別人對他會有完全不同的看法。男人不愛碎碎唸。他們說一就是一，是領袖人物，總是在提供他們的智慧，如果碰到迷路的女人，他們會很溫柔的告訴她該怎麼走。是，男人的確是好批評、愛找碴、愛抱怨，但這都是爲了女人好啊。他們不厭其煩，一遍又一遍的勸著妳：『拜託妳出發「前」就要先看好地圖！跟妳說過多少次了？』還有：『我朋友來的時候，拜託妳打扮打扮好嗎？』這種令人欽佩的堅持，這也顯示他們是在意的。

女人認爲，就是因爲在乎，所以才會碎碎唸，但男人可不這麼想。男人把濕毛巾丟在床上，女人會罵；男人把脫下的襪子亂丟，女人會罵；男人忘了丟垃圾，女人會罵。她知道自己這樣很像刺蝟，可是她相信，要和男人溝通，唯一辦法就是不停的重複唸，一遍又一遍，希望有一天男人能聽進去。她覺得她叨唸的事都是有憑有據的，所以儘管自己這樣也許討人厭，但她有理由一直唸下去。女性朋友不會覺得是她嘮叨，而是覺得那男人太懶惰，或是覺得他難以相處，開始同情被他長期折磨的朋友。

網路上流傳著一首『男人之歌』，作者是西恩・摩利。這首歌一發表立即受到大家喜愛。女性喜歡這首歌，是因爲它說嘮叨到最後，有時候男人會屈服，也就是說，男人明白誰才是老大。男性喜歡，是因爲它說出了他們心裡深處也許老早就知道了的一件事。其中一段歌詞開始是這樣的：『妳越快知道誰是這裡的老大，親愛的，妳就越快能對我發號施令了……因爲我是這裡的老大……不過只在我自己腦子裡想像時才是……』

不過當女人開始重複她的命令時，通常男人腦子裡只收到一個詞——嘮叨。如同水滴滴下，碎碎唸會磨損他的靈魂，憎惡之心也慢慢萌生。在憎恨名單上，各地男人擺在第一項的就是嘮叨。單單以美國來說，每年丈夫謀殺妻子的案件就超過兩千件，謀殺的理由都是因爲妻子的嘮叨。在香港，有個丈夫用鐵錘打妻子的頭，妻子的大腦因此而受到損害。法官判決減輕丈夫的刑期，他說，丈夫會犯下暴行的原因，是因爲妻子太嘮叨了。

女人的嘮叨 vs. 男人的抱怨

女人愛唸；男人愛教。一位自稱是『懼內的杰瑞米』在看完《爲什麼男人不聽、女人不看地圖？》後，寫了封電子郵件給我們：

我需要你們的幫助。我老婆是嘮叨女王，無止盡的挑剔、抱怨、折磨快讓我受不了了。從我回家到我上床爲止，她一直唸個不停，一秒都沒停過。我們唯一溝通的時候，是她數落我該做而沒做的事，從一天前、一個禮拜前、一月前，甚至是剛結婚的時候，通通搬出來說。

情況變得越來越糟，我還請我老闆讓我加班。你們能想像嗎？我寧願待在辦公室工作也不願回家。她的抱怨帶給我的壓力太重了，壓得我在開車回家途中就開始頭痛。不應該這樣的，下班回家能見到她，我應該很興奮才對。我爸曾跟我說過，每個女人都愛抱怨，愛嘮叨。當時我不相信，直到我結婚後。我朋友也告訴我，他們的太太也很愛。女人眞的天生就愛碎碎唸嗎？拜託，救救我吧。

在餐館吃飯時，我們無意間聽到一群女人在討論她們的老公。

金髮女人：『妳們知道嗎，他對什麼都不滿意。老是在抱怨。如果他想嘿咻，而我沒興趣的時候，他就一直抱怨。有時候爲了讓他閉嘴，我只好投降，可是實在是做得不起勁。也許是我沒心情。可是他糾纏不休，所以乾脆依他的意，總比聽他抱怨好。』

褐髮女人：『史蒂夫也一樣。不管我做什麼，他都愛挑毛病。如果我打扮好要出去和他的朋友用餐，他就會抱怨說，我和他們出去打扮得都比單獨和他出去時漂亮。又抱怨說我也許覺得他的朋友比他有魅力。如果我不打扮，他又發牢騷，說我不在意我的外表就是不關心他。有時候我覺得，不管怎麼做，我都是錯的。』

另一個女人：『唔，那麼，爲什麼男人老說女人嘮叨呢？』

哄堂大笑聲。

歷史悠久

在歷史記載中，通常女人都被形容是愛嘮叨。『嘮叨』(nag)這個動詞源自斯堪地那維亞語，意思是『咬、嚙，或是一點一點的吃某樣東西』。大多數的字典中，嘮叨是陰性名詞，而陽性並沒有這類的同義詞。

十九世紀時，在英、美，以及歐洲如果妻子愛嘮叨或是個『潑婦』，丈夫可以向地方官申訴。如果案子成立，妻子會被判浸水椅。在美國和英國，浸水椅通常是用來懲罰女巫、妓女、犯小罪者，還有潑婦。把被判刑的女子綁在椅子上，吊在活動槓桿上，然後把椅子沈入附近的河或湖中，直到預定時間到了才拉起來。浸的次數則視她的罪行嚴不嚴重，或是看先前有幾次行爲不端的情形而定。

英國法院一份西元一五六二年的文件記錄著：

『華特．海克斯之妻以及彼得．菲利普之妻爲公認之潑婦。茲此下令送該二名婦人至教堂接受講習，以收斂其傷人之行爲。然如婦人之夫或鄰居再次提出申訴，則處以浸水椅之刑。』

下面這首詩的作者是班杰明．魏斯特於一七八〇年發表的，詩中顯示過去的丈夫是如何嚴正地處罰嘮叨的妻子：

浸水椅

吾友呀，遠方湖中所立的乃是一種刑具，名叫浸水椅；
地方官發出的公告主宰著鎮民的歡喜與恐懼。
如果悍婦吵鬧不休，出言不遜，或是動手拉扯頭巾，
如果夫人好爭吵使家人無法安寧，哭鬧不停，妳就會得到一張椅子；
我們會教妳怎麼管好自己的嘴巴。
這椅子上坐過許多悍婦，不管多桀驁不馴，都會隨著椅子下沈，
但是眼前所見，我們沒達成目的，她再度咆哮，怒氣更盛，
甚至比之前還要兇悍。因此在火上澆水竟然會讓火更旺盛。
既然如此，我的朋友，請稍安勿躁再度把她泡入湖裡，
一而再再而三地重複此法，則吵鬧之妻不再，放蕩之妻不再，
再熾熱的火都能被水澆熄。

如果嫌浸水椅的懲罰不夠力，還有一種更殘酷的。有些女人的下場是遊街示眾，好警惕其他女人。她們戴著鐵面具，嘴上罩著鉗口刑具，刑具夾住頭，有一支鐵棒伸入嘴裡壓

住舌頭。最後一位因爲是『公認的潑婦』而被浸水椅的女人，應該是一八〇九年在英國蘭民斯特的珍妮・派普。

愛嘮叨的人是怎麼想的

愛唸個不停的人常希望能讓受罪者感到內疚，進而激發實際行動。她們希望能促使他採取行動，就算無法讓他了解到自己有錯，至少也能讓他不要再繼續有這種行爲了。女人知道自己愛嘮叨，可是不表示她們覺得嘮叨有趣。通常她們之所以叨唸，是因爲不想再讓某些事情發生。

有些女人把嘮叨變成一種藝術形式。我們定義出五種基本嘮叨形式：

單一主題式：『寇特，去倒垃圾好不好？』過了一會兒。『寇特，你說你會倒垃圾的。』五分鐘後。『寇特，垃圾怎麼還在那裡？』

多頭式：『尼傑，門前的草長了，還有啊，臥室門的門把掉了，嗯，後面窗戶還是卡住的。你什麼時後才要調電視天線啊，還有喔……』還有這個……還有那個……

關心式：『雷，你今天的藥吃了嗎？別再吃披薩了，會害你的膽固醇和體重降不下來……』

第三人稱式：『呃，瑪雅說，祥恩已經把他們家的烤肉架清理好了，明天就要請大家過去。照你這種慢吞吞的速度，夏天都快結束了。』

預先式：『戴爾，我希望你今天注意一點，少喝兩杯。我們可不想再像去年那樣丟臉。』

聽到這些話，女人很難笑得出來。她們認得這些的確是她們會說的話，可是她們又想不到別的替代方法。

嘮叨過頭時，嘮叨者和其他人的關係有可能變得很糟。男人也許會更不理睬她，但這樣做卻會讓她更生氣，有時候甚至是暴怒。到最後她會覺得很孤單，說不定會變得心存怨恨和悲傷。一旦失控，感情便有可能被破壞得一乾二淨。

受罪者是怎麼想的

從男人的立場來想，碎碎唸是頻繁、迂迴，又消極的提醒他，他哪些事沒有做，或是提醒他的缺點。事情總是發生在晚上，當男人只想好好發呆之時。

越是唸個不停，受罪者豎立的圍牆就越高，弄得碎碎唸的人快抓狂。這種圍牆種類有：報紙、電腦、家務、撲克臉、失憶、裝聾作啞，以及電視遙控器。沒有人喜歡被當成出氣筒，沒有人想聽需要費力解讀的話，沒有人喜歡看人在自己面前裝可憐，沒有人喜歡挨罵，也沒有人喜歡老是有罪惡感的感覺。每個人都在躲避愛嘮叨的人，放她一人孤零零的，讓她心生怨恨。當她越覺得自己被困住、孤立、不被認同時，受罪者所受的苦也可能越大。

嘮叨的人越嘮叨，就會變得越孤獨。
嘮叨的結果，是摧毀嘮叨者與受罪者的感情，因爲受罪者覺得，他隨時隨地都必須爲自己辯解。

為什麼女人比男人更愛嘮叨？

在地球上，女人的大腦結構就是比男人愛說話、愛嘮叨。底下的圖是男女各五十人的掃描結果，圖中黑色的地方，就是大腦中負責說話和語言活動的部分。這可當做男人和女人交談時的圖解。黑色部分的功能是說話和語言。從圖可以清楚看見，女人的說話能力比男人強很多。這說明了何以從女人的角度來看，男人沈默寡言；而從男人的角度來看，女人似乎沒有閉嘴的時刻。

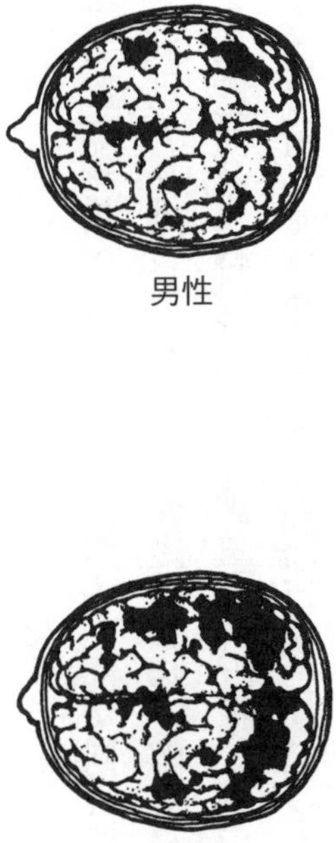

●大腦中負責說話與語言的區域

摘自精神病學研究所，倫敦，2001 年

女性大腦的結構，是屬於多軌式的，她能夠同時耍四、五顆球。在講電話時能跑電腦程式，能聽別人在她背後聊天，還能邊喝咖啡。聊天時她能同時聊許多不同的話題，還能用五種不同的語調來轉變話題或強調重點。五種語調中，男人只能分辨出三種。所以男人在聽女人說話時，常常會聽不懂。即使只有一個句子，都能出現多軌的情形：

比爾：『蘇會來過聖誕嗎？』

黛比：『蘇說要看地毯的訂單如何，景氣不好，訂單量有些下滑。對了，菲歐娜也許不會來了，因爲安德魯得去看醫生，還有納森啊，他被炒魷魚了，得找新工作，而裘蒂是要工作，脫不了身，她老闆眞是難伺候呀！因此蘇說她可能會早點來，我們可以去買衣服，要在艾瑪結婚時穿的，我還在想，如果我們把她和連恩安排在客房，那麼就可以叫雷早點來，這樣……』

比爾：『什麼意思？會來還是不會來？』

黛比：『呃，還是要看黛安娜的老闆亞狄安會不會放她走，因爲他的車在路上拋錨了，所以她必須……』等等，等等……

比爾想，他只是問了一個很單純的問題，只要回答『會』或『不會』他就滿意了。然而他卻得到一連串的答案，其中包括了九個不同的主題以及十一個人。他覺得很沮喪，就走出去，到花園裡澆花。

男性大腦的結構是單軌式的。他們一次只能專注在一件事上。當男人翻開地圖時，他會關掉收音機。當男人行駛在環形交叉路上時，要是女人和他說話，他就會彎錯路，這時他會怪罪女人，要不是她說話，他才不會走錯路。電話鈴響時，他會要求所有人安靜，讓他講電話。有些有權有勢的男人甚至不能邊走路邊嚼口香糖。

男人的大腦結構是單軌式。他們不能邊做愛邊回答爲什麼沒丟垃圾。

男人最頭痛的，是當女人在碎碎唸時，並不止唸一件事而已。這種情形實在是超過他能負荷的，所以就乾脆充耳不聞。這麼一來就形成了惡性循環，看到他沒反應，她就越嘮叨，她越嘮叨，他就躲得更遠。有時候沒辦法掉頭就走，偏偏壓力又越來越大，當受罪者受不了時，他會反擊，而引發激烈的爭吵。有時候還可能會爆發肢體衝突。

為什麼嘮叨沒有用

嘮叨沒有用的主要原因，是因爲存有失敗的預期心理。嘮叨的人期望她們的話能逼迫受罪者行動，不過其實她們心裡認爲會失敗，不然就是得到消極的反應。

她們錯在提出問題的方法不對。她們不是說：『我以爲這是我的權利。』而是說：『……你都不丟垃圾，還拒絕收拾自己的衣服……』她們用小小、微不足道、瑣碎的約束來處理自己的問題。她們的要求不明顯又迂迴，但是卻會讓人有很重的罪惡感。這些『要求』通常隱藏在任一組話中，還用含糊的話框起來，而男人的大腦不太有能力解讀這類的訊息。

對男性而言，那就好像是不斷的被瘧蚊叮一樣。他全身被咬得又腫又癢，可是又打不到蚊子。『你知道我要求的不多……你知道丟垃圾只是件小事……你也知道醫生說我不能提重物……這個週末我都在整理房子，讓屋裡看起來清爽一些，可是你整天都坐著看電視……如果你肯動動你尊貴的身體去修暖氣，這星期就不會冷成這樣了……』

這種沒有重點的嘮叨，只會弄巧成拙，造成雙方皆輸的局面。懷著這種心態的嘮叨，變成是一種負面的習慣，只會造成很大的壓力，並且引發對立、怒氣、怨恨，還很容易爆發拳腳相向的情形。

讓人不愉快的嘮叨情形都在何處發生？

嘮叨的情形很少發生在工作場合中，不過要是嘮叨者和受罪者很親近，那就會發生。想知道男老闆和他的秘書關係密不密切，只要看她會不會把老闆沒做的事掛在嘴上唸，就可以明白了。

嘮叨關乎的是兩個人之間的權力角力。當秘書發現老闆有些事沒有做時，她會提醒他，或是乾脆自己幫他做好。畢竟這是她的工作。但是當她覺得自己的職位沒有大威脅，還有認爲自己的權力夠大，認爲自己是不可取代時，她也許會開始叨唸老闆，要他去做好他的工作。到了這種地步，叨唸的情形會越來越嚴重。在工作上，她或許沒有權力眞的取代他，但是也許在無意中她把嘮叨當做壓制他的方法，讓他變成『她的下屬』，也讓他了解自己有多需要她。

工作愉快又充實的職業婦女在家裡很少嘮叨。職業婦女沒有時間，也沒有精力嘮叨。通常她的心思都放在工作上的『遠景』：怎麼做能得到讚美，提案要怎麼做才好。如果她的男拍檔沒有把他該做的事做好，她要不就花錢找別人做，不然就是忽視它，再不然就是另找一個會做事的拍檔。她是站在一個有權力的地位上，來進行這些事。

性感妖女也是不會嘮叨的。她們也擁有力量，不過和職業婦女的不一樣。她們運用性感魅力來與男人周旋，爲所欲爲。她們永遠不會爲散落在地板上的衣服叨唸，因爲她們會以撩人的動作把自己的衣服丟在地上。不過在感情穩定之後，性感妖女就會變成全世界最嘮叨的女人。

性感妖女不在意衣服散落在地板上，因爲她們會把自己的衣服丟在地板上。

陷入愛河中的女人也不會碎碎唸。在她們眼中，情人的一舉一動都是浪漫的。再加上她們忙著計畫在家裡各處翻雲覆雨，不會去注意地板上散落著衣服，或是早餐的盤子還躺在餐桌上。她們的情人也一樣，戀愛令他們興奮，為了取悅她們，不管她們要做什麼，一定會全力配合。這種情形下，沒有人需要嘮叨。

嘮叨是發生在兩個關係很親密的人身上——妻子、丈夫、母親、兒子、女兒，以及同居的情人。這就是爲什麼常嘮叨的人都是妻子或母親，她們身上負有家庭的責任，常覺得自己沒生活的能力，覺得沒有辦法改變自己的生活。

職業婦女的身心都會散發力量，性感妖女滲出的是性感魅力。這樣的女人是堅強、獨立，而且自由的。常絮叨的女人有很強的無力感，還有沮喪、被困住的感覺。到最後她可能會有一股莫名且壓抑的怒氣，變成四處發飆。她很清楚人生其實應該比她目前過的要精采許多，但是要承認自己不滿意現在的角色，又讓她充滿罪惡感。她很迷惑徬徨，因爲她不太知道該怎麼想才對。

幾百年來，不論是刻板印象、家庭觀念、女性雜誌、電影和電視廣告，都在說服她，完美的妻子兼母親才是眞女人。她心底知道自己值得更好的對待，但是四周不停在洗腦，告訴她已不合時宜的『事實』。她不希望自己的墓碑上刻的是『她的廚房總是乾乾淨淨』，可是她又不知道該怎麼打破目前的模式，爲自己建構更好的生活。甚至不明白自己的感覺是正常、健康而且是很普遍的。

依據我們的調查，那些目標明確、一星期工作超過三十小時的女性，或是不討厭單調、一成不變的家事和母親身分的女性，她們很少嘮叨。

嘮叨有時是徵求認同的呼喊

嘮叨是女人想要更多的徵兆，希望家人能認同到目前爲止，她爲家人所做的一切，以及給她追求更好生活的機會。

一位常被唸的青少年亞當嘆口氣說：『每次我媽在做什麼事時，都會對那件事長篇大論一番。像她洗碗盤的時候，或是拿吸塵器清地毯的時候，嘴裡都會碎碎唸一些意見來提醒她自己。到後來我寧願她不要做這些事。爲什麼每件小事她都要做呢？』

她會做『每一件小事』，主要是因爲她的生活就是由這些小事組成的。如果你每天從早到晚做的，都是瑣碎普通的事，你也會覺得無力，而且還會失去自信。每個人都會用吸塵器清地毯。

軍人肩上負的是爲了國家福祉，不惜犧牲自己的性命，可是你和軍人不同，沒有人會因爲你爲家庭的福利所做的奉獻，把你的名字刻在紀念碑上。諾貝爾獎項中，沒有一個『維持家庭和諧』的獎項。因爲沒有人感激她所做的事，所以她才會在亞當面前碎碎唸，想要讓他能夠重視母親的工作。

即使購物清單寫得再棒，也拿不到諾貝爾文學獎。

完美妻子兼母親所受的苦，並不是什麼慘絕人寰的折磨（至少以字面上的意思來看）、辱罵，或是其他酷刑。她每天的工作似乎太過平凡，不足以提出強烈抗議，或是聲稱自己能得到大眾的尊敬。她的痛苦是無形的，因爲她要壓抑自己，要保持沈默，加上家人又不重視自己。

如果亞當說些稱讚母親的話——這是她渴望聽到的，也是她應得的——他的生活品質將會得到大改善。嘮叨的女人通常是沮喪的妻子或母親，她們覺得寂寞、絕望，認爲沒人愛她們，也沒人感激她們。這裡面有個關鍵。感念嘮叨妻子、母親的瑣碎工作，可以大幅減少她們的嘮叨。

母親情結

許多女性認爲自己是家中最講理的大人。她們覺得丈夫或男友的舉止像小孩。不過男性在工作場合中，是可以溝通、解決問題的人，而且做出的成果常讓人十分滿意，所得到的報酬，是從事相同工作的女人望塵莫及的。他的女性工作夥伴明白他有這些能力，可是在家裡這些能力卻從未出現過，令她非常失望。

研究發現，已婚男子比未婚男子長壽。

有些男性說，那只是因爲感覺上度日如年罷了。

問題是，女性習慣把自己的伴侶當小男孩對待，而不是當他是個有能力的成年男子。結果他的表現眞的就像個男孩。這種態度的改變，隨著感情變化而開始。男人越反抗，女人就越嘮叨，越像他媽媽。到最後，兩人不再視對方爲自己的伴侶、情人、好朋友。感情最大的殺手，莫過於男人覺得自己和媽媽生活，以及女人覺得自己和一個不成熟、自私又懶惰的小男孩生活。

解決嘮叨的方法：直接表達

一對夫妻在人很多的披薩餐廳裡。他們的聲音越來越大聲，原本人聲鼎沸的餐廳越來越安靜。兩人在討論要選哪種口味的大披薩一起吃，這就是爭執的起點。丈夫想挑續隨子佐義大利辣香腸披薩，但妻子想選夏威夷披薩。她開始指責他都不聽她想要什麼，而且她『超級討厭』續隨子。說他竟然說什麼鳳梨會毀掉披薩的美味，胡說八道。何況如果他肯去採購食物或下廚，他們就不用常常來披薩餐廳吃飯了。總而言之，她不想常常吃披薩，因爲她想要吃得健康一點。而且這麼常吃披薩害她常常有體重上的困擾。這次就順她的意，挑她喜歡的披薩，難道會太過分嗎？

話聲一落，餐廳裡所有人全豎起耳朵，想聽丈夫怎麼回答。他老神在在，啜一口酒，看著地板，再看看菜單，過了一陣子才回妻子的話。他說：『這一切……都和披薩沒關係對吧。是和過去這十五年來的事有關吧。』

當兩人溝通出現問題時，嘮叨是最明顯的徵兆。通常拿小事來慢慢侵蝕對方，比說出問題所在來得容易。尤其是女人，很多女人會這樣做。大部分女孩在成長過成中，都被教導要當個善解人意的乖女孩，要把自己的需要擺在最後，不能說出自己的感覺。她們長大後，深信自己所扮演的角色，是要維持和睦，消除問題，受人喜愛以及被愛。許多女人覺得自己很難站出來說：『這樣的生活讓我不快樂。我覺得快窒息了。我想要放下所有的事，休息兩個禮拜，一個人到外面走走。如果我請媽照顧孩子一個星期，第二個禮拜由你請假照顧，這樣我就有一些自己的時間了，你贊成這樣的安排嗎？我想我回來時會快樂一點，而且會變得比較好相處。』比起在大家面前批評他偏愛的披薩口味，這些話很難說出口，也很難做得到。

女人常期望自己不用說，男人就明白她們心裡在想什麼。她們假想，如果她們打哈欠說：『我累了，我要先上床睡覺了。』男人就會去刷牙，用漱口水漱口，讓口氣清新，噴上除體臭劑，穿上舒適的睡衣，然後去床上找她，做愛做的事。實際上，男人是嘴裡咕噥幾句，從冰箱裡拿出另一罐啤酒，坐回沙發上看他的運動比賽節目。他們絕不會想到，女人說話的方式是迂迴的。而女人就孤單坐在床上，最後懷著自己沒人愛的想法睡著了。

嘮叨往往會掩蓋掉日漸惡化的溝通問題。要是女人學會直接說出她們的意思，男人的反應就會快多了。女人必須了解到，男性的大腦構造相當簡單，而且很少會猜他們的妻子、情人所說的話隱含著什麼言外之意。一旦兩性明白這件事，溝通會變得簡單多了，嘮叨的情形也會減少。

解決嘮叨的方法：說出你的感覺

當妳糾正男人的行爲時，他不會告訴妳他覺得妳滅了他的男子威風。同樣的，當妳責罰或數落他時，他也不會跟妳說，他有被侵犯的感覺，就像他十幾歲時母親修理他時那樣。當他覺得妳和他媽媽一樣，沒有性吸引力時，他也不會告訴妳。妳告訴他，妳認爲他的決定不好，他會覺得自己沒用，不能達到妳的標準。但是，他通通都不會講。

你們兩個人也許談過許多次，但這並不表示你有把你的想法表達出來。相處時所產生的所有問題，比如外遇、暴力，或是冷嘲熱諷、厭倦、失望，以及嘮叨等等，都和溝通不良有關。很少有女人會問：『我很納悶，爲什麼他不再和我聊天？』男人也在想：『奇怪，老婆不再吸引我了。』可是他從沒跟她說他的感覺。

如果你身邊的女人會唸你，那表示她有事要跟你說但是你不聽，所以她要一直唸，唸到你聽爲止。然而你不聽的原因，是她的方法不對。女人常用迂迴的方法來與她們的男人說話，可是這是錯誤的。

某一天晚上，丹尼爾因爲加班，回家時已經很晚了，到家後發現老婆一臉怒氣。他還沒開口，他老婆，蘇，就先發難了：

蘇：『你都不替別人著想！爲什麼你又這麼晚回家？我都不知道你在哪裡！晚飯都冷掉了，你只會想到自己，都不爲別人想！』

丹尼爾：『不要對我大吼大叫。妳又在抱怨，又在把事情鬧大了！要過舒適的生活我就得要加班，不然錢哪夠啊……可是妳永遠都不滿足！』

蘇：『哼！你好自私！拜託，把你的家人擺第一位行不行，一次就好！你從不做家裡的事，你就是想要每件事都讓我做！』

丹尼爾（轉身要走）：『不要再找我麻煩了！我很累，想要休息一下。妳就只會指責我。』

蘇（勃然大怒）：『是啊，沒錯！你走呀！你又在耍孩子氣了。你知道你的問題出在哪裡嗎？就是你只會逃避，不願意面對問題！』

蘇並沒有直接講出她眞正的感覺，反而是用暗示的方式指責丹尼爾，因此丹尼爾才會爲自己的行爲辯護。一旦丹尼爾開始替自己辯護，溝通的管道就關起來了，使得兩人沒辦法解決這個狀況。可是蘇的話丹尼爾並沒有聽進去，也不在意，蘇只好一直重複放出相同的訊息，而丹尼爾則躲得更遠，認爲蘇只是愛嘮叨。

兩個人都沒說出自己眞正的感覺。他們的問題只會越變越糟。

解決嘮叨的辦法：『我』的技巧

若想得到丹尼爾的注意，首先，蘇不應該對他劈頭就罵，迫使他不得不替自己辯護。她可以用『我』的技巧，而不是一直用『你』。

底下是一些蘇的用詞，裡面用了許多次『你』，因此她的話激怒了丹尼爾：

你都不替別人著想！

你好自私！

你又在耍孩子氣了。

你知道你的問題出在哪裡嗎？

你只會逃避。

用『你』只會惹得對方爲自己辯護。使用『你』的句子讓蘇儼然成了法官兼陪審團，這是丹尼爾所無法接受的。蘇可以用『我』的技巧，把自己的感受告訴丹尼爾，同時又不會讓他有『妳在審判我』的感覺。這個方法能讓你和你的伴侶好好溝通，不會吵起來。不僅如此，以後都不會再起爭執。

『我』這個技巧總共分四個部分。包括伴侶的行爲、你對他的行爲的想法、你的感覺，以及他的行爲對你所造成的影響。

蘇可以這麼跟丹尼爾說：

蘇：『丹，這個禮拜你都很晚回來，可是都沒打電話告訴我一聲（行為）。你是想避開我嗎？還是你去找別人？（想法）我開始覺得你不再愛我了，覺得我失去吸引力了。我眞的很難過（感覺）。再這樣下去，我會胡思亂想，會很擔心你（影響）。』

丹尼爾：『哦，蘇，對不起。我沒想到妳有那種感覺。我不是要躲避妳，我也不是不再愛妳了。親愛的，我也沒有去找別人。只是公司太忙了，我被工作絆住了，不得不加班，而且壓力很大。回到家我已經累壞了，所以需要獨處一下。我不是故意要給妳那種感覺，我答應妳，今後要加班的話，我一定打電話告訴妳。』

『我』的技巧很實用，因為能降低防衛心，每個人都能誠實明白的說出自己的感覺。這個技巧很難會讓人覺得自己被攻擊了。

上面例子當中，所表達的訊息，讓丹尼爾和蘇能夠好好溝通，進而解決問題。語調正確、時間點有抓對時，『我』的陳述句最能正確無誤的表達意思，所以在開口之前記得先停一會兒，確定對方有在聽你說話。

解決嘮叨的辦法：讓男人發呆三十分鐘

工作了一整天之後，男人需要大約三十分鐘的發呆時間，這樣他才會恢復說話的力氣。然而大多數女性在這時候卻是很想講話，而且是早就準備好了。底下是幾個可以運用的技巧：

丹尼爾：『親愛的，今天公司很忙，我很累了，妳能讓我休息三十分鐘，放鬆一下嗎？我保證休息完後，我會和妳聊聊的。』

蘇：『親愛的，我得和你談談今天發生的事。你覺得我們什麼時候可以開始討論呢？』

如果丹尼爾說好時間，並確實遵守，而蘇也給他發呆的時間，這麼一來，他們就不會發生爭執，也不會感到緊張，而且沒有人會有遭到脅迫的感覺。

解決嘮叨的辦法：讓小孩做他們想做的事

爲了子女的安全、幸福，以及日後的成就，做父母的有部分的責任就是要提醒自己的小孩，並且要給忠告，有時甚至還要管束他們的行爲。然而曾幾何時，我們的關心變成了嘮叨？可是家裡有叨唸不停的父母親，該怪誰呢？是怪不聽話的孩子嗎？還是怪嘮叨的父母親呢？答案是：父母親。

父母親已經造成孩子自然而然就會有那些反應。小孩學到的是，他沒有必要在你一提出要求時，就立刻做反應，而且你所提出的要求，等你一而再再而三、不厭其煩的耳提面命之後再去做就行了。小孩已經把你訓練成老是在複述你的要求，而且他們認爲你並不是眞的想要他們有所行動。

當父母的會陷入一種惡性循環之中。父母越叨唸，越抱怨，子女的反抗就越大。孩子不聽話讓父母難過，這種情緒積久了就會變成憤怒，說話的嗓門也跟著變大。父母的憤怒讓孩子心生怨恨，因爲他們認爲自己並沒有做錯事。孩子也感到困惑、覺得很沮喪。一句單純的要求，像是：『過來吃晚飯了！』結果引爆一場大戰。

要讓伴侶不再嘮叨、讓孩子聽話，其實很簡單，只要能自我克制以及下定決心即可，不過是指你，而不是孩子。

要有決心的人是你，不是孩子。

對某些問題，你必須下定決心，三十天之內絕不可動搖。跟孩子解釋，你若有什麼事想請他做，應該只要跟他說一次就夠了，但是如果他沒有行動，這就是他自己的選擇。然後跟他說，他不聽話的後果是什麼。例如：『杰德，我跟你說過，把你房間地板上的髒衣服拿出來，放到洗衣籃裡。你再不拿出來，我就不幫你洗了。』

這裡就是需要自我克制和決心的時候。誰應該先屈服呢？如果你先屈服，進房間幫他把衣服拿出來洗，那麼就回到原點了。如果你能克制自己，讓髒衣服繼續堆下去，讓孩子去抱怨沒髒衣服可穿，你就裝作沒聽到。也許很難做到，但是你能讓孩子知道什麼是負責的行爲，而且也會讓家裡的氣氛轉好。孩子未來的伴侶也不會因爲他有壞習慣，而怪你沒教好。

孩子習慣的好壞和父母的教導有直接關係。

孩子需要的是訓練，不是嘮叨

如果你覺得自己一直在叨唸某個人，這表示這個人在訓練你，讓你做他想叫你做的事。換句話說，他定下了規則，而你要遵守這些規則。比如，有人習慣把濕毛巾丟在浴室地板上，你總是叫他不要這樣，可是不管你怎麼抗議，他就是不聽。最後你不得不自己收拾這些用過的毛巾，因爲你不喜歡浴室裡亂七八糟，而且你想，如果你不收拾，沒有人會去做，這麼一來，就沒有乾毛巾可以用了。事實上，另一個人知道你會收拾，只要忍耐你小小的嘮叨就好，這也許是小小的代價。所以呢，你是被他訓練了。

現在來教你怎麼扭轉這個情形：將乾淨的毛巾分給家裡每個小孩（或是大人），告訴他們，這是他們自己的毛巾，所以毛巾的狀況如何，就由他們自己負責。如果他們把濕毛巾或髒毛巾扔在浴室地板上，你就會把毛巾丟掉，因爲你不喜歡亂七八糟的浴室，而且這侵犯了你保持家裡整潔的權力。告訴他們，你會把這些亂丟的毛巾放在後院，或是旁邊的欄杆上、狗屋上，不然就是塞在他們的枕頭底下。你不在乎放在什麼地方，做出選擇的人是他們。第一次執行這個策略時，會讓愛亂丟毛巾的人大笑，讓他們困惑、反對，可是你必須堅持下去，要不然被訓練的人還是你。

比如說，你把濕毛巾放在掃帚櫃底層。當亂丟的人在洗澡時，會要求你給他毛巾，你就把他扔著不管的濕毛巾遞給他。他會發現，用又濕又有味道的毛巾擦乾身體有多不舒服。只要兩、三次，他們就會養成把毛巾掛起來的習慣，不會再丟在浴室地板上。同樣的技巧也能應用在髒襪子、內衣，或是任何你不願意被亂扔的東西上。運用了這個技巧，你就會成爲訓練者，不再是個被訓練的人，也不用再嘮嘮叨叨的。但是，如果你選擇跟在每個人背後收拾，就是選擇成爲被訓練的人，這麼一來，你只能任由家人把東西扔在地板上，而且還沒有叨唸他們的權力。

解決嘮叨的方法：一個讓孩子學得教訓的實例

十三歲的卡麥隆被賦予一個任務，就是每個星期三晚上要倒垃圾。他每次都說，等吃完晚飯就去，不然就是等看完他想看的電影，再不就是等洗好澡後，可是他總是忘記。幾個星期過去了，垃圾越堆越多，屋子裡都是食物腐壞的味道。卡麥隆的母親從要求他變成叨唸他。唸到全家人都聽煩了，也受不了垃圾的味道。可是卡麥隆依然故我，他還是忘記要倒垃圾，也做好被媽媽唸的心理準備。

後來卡麥隆的媽媽明白，兒子讓她變得嘮叨，因此她決定要扭轉這個情況。她跟兒子說，倒垃圾是他負責的工作，由於他沒有做好，使得全家人得聞垃圾的臭味。於是她跟卡麥隆說，如果他再忘記倒垃圾，那麼就要把垃圾放在他的房間裡。要是他不介意聞食物爛掉的臭味，那也應該不介意和垃圾一起睡。她用開玩笑的方式，輕鬆，有趣，沒有指責，但是卻很直接。

全家人等著星期三晚上來臨，卡麥隆和平常一樣，還是忘了倒垃圾。隔天晚上他要上床睡覺時，掀開床單一看，發現床上擺滿了垃圾。他的房間臭死人了！這個教訓的代價，是又髒又臭的床單（卡麥隆還必須自己洗它，這讓他了解不倒垃圾的後果了）。從此以後，他再也不會忘記倒垃圾了。

怎麼了解愛嘮叨的人

如果被叨唸的人能誠實的面對自己，並承認被唸的原因，同時了解嘮叨通常是想要取得認同的吶喊，他可以很快的扭轉乾坤，反敗爲勝。想要有被人尊重的感覺是人的天性。研究顯示，常嘮叨的人通常是長時間待在家中，很少和其他成年人接觸，相對之下，整天在外工作的人很少有嘮叨的。有工作的人覺得自己對公司有貢獻，認爲他們的努力有受到肯定。同樣的，那些喜歡待在家中的家庭主婦，維持一個整齊、清潔、舒適的家，以及爲家人煮出美味健康的三餐是她們的驕傲，這樣的人也不會嘮叨，因爲她們和上班的人一樣，有人肯定、感謝她們所做的一切。

那些不喜歡無聊且單調的工作的人，或是憎惡待在家裡的人，才會變得愛嘮叨。有些女人覺得自己的生活平淡無味，每天就是洗衣服、掃地毯、清廚房、鋪床、買菜，幾年下來整個人都麻木了。孩子放學回家後，你辛苦的清掃結果付諸流水，加上孩子不願去做你指定他們做的事，爲了讓家人注意你所做的事，你開始嘮叨，想要讓所有人都和你一樣，覺得自己很悲慘。

人之所以會嘮叨，其實都是有原因的，也因爲如此，被叨唸的人也有忍受的義務。嘮叨是溝通不良的結果。

被叨唸的人所面臨的挑戰

想要有雙贏的結果，雙方就必須改變、分擔彼此的責任。被叨唸的人一定要了解，問題是他造成的，因此他得接受。

被唸的人會想辦法逃避，但這樣會使情況更複雜。他們不是充耳不聞，就是想辦法讓她閉嘴，要不然就是離開房間或是乾脆出門，再不然就是找藉口逃避嘮叨者要他們做的事。對被唸的人而言，這些很容易做到，因爲他們把錯歸咎在嘮叨者身上就好了。可是要解決這種情形，被唸的人需要反省自己的行爲。他們應該要把嘮叨者的碎碎唸當做是一種求救的方式。

被唸的人應該要問自己：

- 對方在講話時，我有在聽嗎？
- 我能體會對方心中的沮喪嗎？
- 我是不是表現出高高在上的樣子？讓他們覺得自己毫無用處呢？

・我有肯定對方的成就嗎？
・我有因爲自己是賺錢養家的人，回家該好好休息，而拒絕分擔家事嗎？
・我又懶惰又不體貼嗎？
・我是不是心存怨氣，以致不願意去了解對方的問題呢？
・我想要快樂的生活嗎？

如果你眞的想要快樂的生活，你已經準備好要坐下來和對方好好談談了嗎？

嘮叨者面臨的挑戰

如果妳是嘮叨者，妳認爲對方無法做到妳的要求嗎？面對他時，妳是不是一副母親對孩子的樣子呢？妳無視對方是否需要緩衝時間，就堅持要立即行動嗎？妳是不是不斷的重複妳的要求呢？如果上述的問題妳的答案是『是』，那麼妳就要坐下來和另一個人利用『我』的技巧好好談談：

・告訴他什麼事會令妳沮喪。
・關於對妳所要求的事，同意給他一個時間進度。
・妳不要一直重複。

．說出妳的需要，然後停下來聽伴侶說些什麼。
．聽聽伴侶的想法，也許他會有較好的點子。
．盡量避免『你』的句子，因爲容易造成對方反抗。
．讓他知道，如果他再不注意自己輕率的行爲，妳會用什麼方法解決，或是會造成什麼後果。
．妳要怎麼改善自己的形象？
．做完每天的例行家事，完成自己的目標後，妳有沒有獎賞自己？
．妳想要快樂的生活嗎？

在生活中，有許多人可能和嘮叨脫不了關係，由於溝通不良，使得嘮叨者生氣，怨恨那位讓她的生活變得悲慘的人，而這個人原本應該是每天讓人心情愉快、溫暖的泉源，也是提供鼓勵的人。事情可以不用這樣。照著我們提出的簡單策略，你的生活會更快樂，兩人未來的生活也會更恩愛。

chapter 2

男人讓
女人抓狂的
七件事

男人的一天，就是這樣度過的。

三智者和聖嬰的故事，是世上廣爲流傳的一個故事。這個故事也點出令女性沮喪的男性特點。第一個特點，故事中透露出天堂是以他們爲中心——東方明亮的星星，引導他們找到聖嬰。第二，他們來到聖嬰耶穌出生的馬廄時，聖嬰已出生兩個多月了，爲什麼會遲到呢，很有可能是他們迷路了，可是又不願意停下來問路。第三，黃金、乳香（一種可當做薰香的樹脂）、沒藥（一種味道很重的樹脂，通常用來抹在屍體上）對剛出生的嬰兒以及累壞的母親有什麼用處呢？最後，『三』個聰明的男人？這種極度罕見的情形有誰見過嗎？

想想看，如果故事是從三個女智者開始。她們會問路，會準時到達馬廄，幫母親生產，帶的也會是合適的禮物，像是尿布、奶瓶、玩具以及一束花。她們還會把動物趕出馬廄，並且打掃一下，燉一鍋菜，之後還會寫信保持聯絡，這樣世界就能永遠維持和平。

摩西在沙漠中流浪了四十年。他也是個不會問路的人。

要滅除男性惹惱女性的特點是不可能的，可是從女性讀者寄給我們的五千多封來信中，我們歸納出七個關於男性的問題，這些是女性最常問到的。

一、爲什麼男人老愛教人怎麼做，喜歡給人建議？

二、爲什麼男人拿著遙控器時會不停轉台？

三、爲什麼男人不會停下來問路？
四、爲什麼男人堅持馬桶座要保持掀起來的樣子？
五、爲什麼男人不喜歡逛街購物？
六、爲什麼每個男人都有讓人討厭的習慣？
七、爲什麼男人喜歡講低級笑話？

男人的『壞習慣』在女人眼中可分爲兩種：一種是他從小養成的，另一種是和男性大腦構造有關。這兩種都是可以解決的。只要懂得方法，所有人都是可以再教育的。

一、為什麼男人老愛教人怎麼做，喜歡給人建議？

我生命中這個男人，不管什麼事，都要告訴我解決的辦法，我快受不了了。每件事他都要給我建議，不管我需不需要！我只是想聊聊今天的事，談談我的感覺，可是他一直插嘴，或是打斷我的話，告訴我該怎麼做、要怎麼想、該怎麼說話。在『修理』東西方面，他的確很行，像修漏水的水龍頭、壞掉的電燈、汽車、電腦等等，可是他就是不聽我說話。而且如果我不接納他的『建議』，他還會生氣耶。

快瘋掉的凱倫

爲什麼男人喜歡教人怎麼解決問題？想知道原因，須先了解男人的大腦是如何運作。

男人的進化過程是朝獵人的方向進化的，他們對人類生存的貢獻，就是捕獲獵物養活所有人。他們必須具備精準的判斷力，分辨眼前的是獵物，還是要與他們爭奪獵物或威脅到家人的敵人。因此他們的大腦就發展出瞄準目標的『立體視覺』區，讓他們可以徹底的實踐他們活著的意義：擊中獵物以及解決問題。所以，對他們而言，結果是最重要的，他們認定成功與否的關鍵在於結果，而他們解決問題的能力也是藉此來證明。解決問題的能力以及成就，能讓男人肯定自我價值。

解決問題以及精確打中奔跑中的斑馬，能讓男人肯定自我價值。

所以男人喜歡穿制服，戴帽子、徽章、勛章，這些能展示他們的能力，反映解決問題的本領。男人覺得自己的問題，只有他自己有能力解決，因此不需要和別人討論。唯有當他覺得自己需要專業意見，而且覺得自己這麼做是明智的、有益無害時，他才會去向別人請益。而被問的男人則會覺得很榮幸。

如果男人問另一個男人的意見，被問的人會覺得很光榮。

因此，如果女人在男人沒問的情況下，主動提供她的意見，這個男人會認爲女人覺得他無能，因爲他沒辦法解決自己的問題。男人認爲問別人的意見是軟弱的表現，因爲自己的問題應該要自己解決，所以男人很少和人談他的困擾。男人喜歡給人建議，告訴人怎麼解決問題，但是不喜歡別人給他建議，特別是女人的建議。

為什麼男人給女人建議時，女人會生氣

女人的大腦構造就是要透過講話來進行溝通，而說話的主要目的就是爲了說話。大多時候她們要的不是答案，也不是解決辦法。這造成了許多夫妻相處的問題。忙碌的一天結束後，通常妻子想談談她在這一天所發生的事，分享她的感覺，可是丈夫卻認爲妻子是在跟他說她所遇到的問題，因此便告訴她該怎麼解決。她開始生氣，因爲丈夫不聽她說話，而丈夫也生氣了，因爲妻子不接納他的解決方法。『爲什麼你不閉上嘴聽我說呢？』她會大聲抗議。『如果妳不需要我的建議，那就別問我！』他也會吼回去。兩個人都覺得對方不重視自己說的話。

妻子只想要丈夫體會她的感覺，丈夫卻以爲妻子在問他的意見。

他感覺自己能解決妻子的問題，是愛與關心的表現；可是妻子認爲，他不聽自己說話，就是不關心她或是輕視她。

實例探討：莎拉和安迪

這天莎拉在公司裡遇到許多倒楣事：老闆挑她的毛病，行政部門出的錯歸咎在她身上，又丟了皮包，弄斷指甲。她感覺世界崩潰了，等安迪回家後，她想和安迪說說今天的事。

她打電話給安迪，問他什麼時候會回家，她想準備一頓豐盛的晚餐，期待夫妻兩人可以貼心的聊聊天。他會體貼她，也會同情她的遭遇。她可以跟關心她的人說出心中的話，她知道傾吐完後，心情會好很多。她希望安迪能夠聽她說，讓她感覺有人愛她、了解她，讓她知道，她能自己解決遇到的問題，使她恢復信心。

可是安迪今天也不好過。下班時他帶了幾個大難題回家，他得在隔天上班前解決這些難題。開車回家的路上，他的腦子裡還不斷的轉動，思考著解決方法。他有接到莎拉的電話，知道她今天也很悽慘，可是他眞的需要思考時間，才能解決他的問題。

到家後他匆匆的和莎拉打個招呼，就坐在沙發上看新聞報導。她看一下準備好的菜，向安迪說再十五分鐘晚餐就準備好了。安迪心想：『太好了！吃飯前有十五分鐘的安靜時間。』莎拉心想：『太棒了！吃飯前有十五分鐘可以聊天。』

莎拉：『親愛的，今天過得怎麼樣啊？』

安迪：『還不錯。』

莎拉：『今天是我一生中最難過的一天，我眞的受不了了！』

安迪：（一半的注意力還放在新聞上）『妳受不了什麼了？』

莎拉：『今天我老闆眞的讓我不好過。早上一到辦公室，他就挑我的毛病，說我的工作品質不好，接著就質問我，爲什麼我沒完成新的廣告活動。然後又跟我說，這個星期五他就要，下星期一他安排一位客戶來公司看成果。我試著告訴他，下星期一不可能弄好，因爲我還在忙賽菲德的案子，他跟我說過，這個案子很急，時間這麼短，我不可能同時做完這兩個案子。我還沒說完，他就打斷我的話，說他不想聽我的藉口，無論如何，星期五下班之前，我得把活動企劃放在他桌子上。你能想像嗎？他就是不聽我說……（開始生氣）……接著他又轉換話題，說星期五晚上六點要見我，一起檢查看看有什麼需要改的。我好想辭職不幹。我想我眞的受不了了……』

安迪：『莎拉，聽著，這很簡單的……妳就是應該站起來告訴他，妳不能同時完成兩個案子，問他到底想要哪個先做好？明天到公司時告訴他，他定下的完成期限是不可能做到的，他必須另定或是找人幫妳做這兩個案子。』

莎拉：（變得情緒化）『我眞不敢相信！我才在說我老闆亂指使我，不肯聽我說話而已，你竟然也開始告訴我要怎麼做。爲什麼你不聽我說話呢？我實在受不了男人了，老認爲自己懂得比較多。』

安迪：『得了，莎拉。如果妳不想聽我的建議，就別再跟我說妳的問題。妳自己去想辦法解決，別再跟我抱怨了！我自己的問題夠多了，我都是自己想法子解決的。』

莎拉：（淚水在眼裡打轉）『好啊，罵我啊！我要去找個會聽我說話，不會告訴我我做錯什麼的人！晚餐你自己想辦法吧！我要出去了，而且我不知道什麼時候會回來！』

對世上的男女來說，這場景實在很常見。結局是莎拉覺得很失望，認為安迪不愛她，而且受到傷害。安迪覺得自己好心被狗咬，感到很困惑，因為莎拉批評的是他最拿手的本領：解決問題。

安迪怎麼做會比較好？

讓我們來重寫這個場景吧，看安迪可以怎麼免去一個不愉快的夜晚。

莎拉：『親愛的，今天過得怎麼樣啊？』

安迪：『還不錯。不過有幾個問題明天一早就得解決，今晚好好想一想之後，事情應該會好很多。』

莎拉：『今天是我一生中最難過的一天，我眞的受不了了！』

安迪：『喔，可憐的小傢伙！吃晚餐時跟我說發生什麼事吧，先給我十五分鐘思考怎麼解決我工作上的問題。』

莎拉：『好吧……我看一下還要多久，弄好了就叫你。你要不要先來杯酒呢？』

安迪：『好呀，麻煩來一杯……親愛的，謝謝妳。』

安迪跟莎拉要求一段休息時間，她也同意了，現在他就能坐在他的大石塊上，好好當一個沈思者，思考怎麼解決他的問題。知道安迪在吃晚餐時會聽她說出積在心中的不滿，莎拉覺得既安心又幸福，這麼一來，她又可以恢復快樂的生活。

底下是晚餐的實況：

莎拉：『今天我老闆眞的讓我不好過。早上一到辦公室，他就挑我的毛病，說我的工作品質不好，接著就質問我，爲什麼我沒完成新的廣告活動。然後又跟我說，這個星期五他就要，下星期一他安排一位客戶來公司看成果。我試著告訴他，下星期一不可能弄好，因爲我還在忙賽菲德的案子，他跟我說過，這個案子很急……』

安迪：（露出有興趣的表情）『親愛的……眞慘耶。難道他不知道妳有多努力嗎？妳看起來就是一副承受了很多壓力的樣子……』

莎拉：『你一定想像不到我的壓力有多大！總而言之，我跟他解釋說那是不可能完成的，因爲賽菲德這個案子已經很緊了。可是我才講一半，他就打斷我的話，說他不想聽任何藉口，還說他在星期五我下班前，要看到活動企劃放在他桌上！你能想像嗎？』

安迪：（表現關心，並且試著給建議）『聽起來他眞的在找妳麻煩……』

莎拉：『他都不聽我說……他又改變話題，說他星期五晚上六點要見我，一起檢查看看有什麼要改的。我的壓力好大，好想辭職……』

安迪：（擁著她）『寶貝，妳今天眞的很慘。妳想怎麼做？』

莎拉：『今晚我不想再想了，明天早點起床，如果我的感覺還是很糟，我希望你能幫我想想辦法，看要怎麼解決。今晚我實在是太累了，沒力氣討論。親愛的，謝謝你聽我發牢騷。我現在覺得好多了……』

安迪沒有急著提出解決方法，因而避免了爭執發生、得到了一杯酒，也沒落到獨自睡沙發的下場。藉著給安迪自己的時間，莎拉也避開了經常會發生的爭執情況，還感到自己很幸福，而且生活過得很快樂。

要和異性談生意時

男人做生意的方式和女人大不相同，如果雙方都未充分了解對方的暗示，那麼他們的生意關係肯定會變成一場財務上的災難。女人在做生意時，會先拉好關係再開始談生意，藉著閒聊不同的話題，來了解他是怎麼樣的人，以及値不値得信任，這些話題通常都是屬於個人層面的。這個程式通常會讓男人產生誤解。最糟糕的狀況，就是令男人誤以爲，女人之所以接近他是因爲想和他發生關係。而最好的情形，也頂多就是讓男人以爲她是想問解決問題的方法。他們覺得自己應當提供解決方法，告訴她該怎麼做、怎麼思考，或是該說什麼。

女人最討厭男人告訴她怎麼做。不聽她說話的男人，以及和她合夥做生意但卻不尊重她的男人，她會很樂意結束兩人的合作關係。和他做生意時，她會變得拖拖拉拉，很不痛快。對於兩人合作關係的變化，男人會覺得很奇怪，不知所措。男人需要了解，即使是做生意，女人還是會先努力達成建立私人關係。女人則需要明白，男人很難和人聊自己的事情，而且在做生意的時候喜歡掌控一切。當男女雙方了解彼此的習慣後，自然比較願意妥協，這麼一來，兩人的合夥關係才能堅固且長久。

如何避免與異性吵架

假如女人的心情不好，或是有壓力，想找人聊聊，有一個簡單的技巧，可以讓妳跟男人談話順利。妳可以這麼說：『我必須跟你講幾件事。不過我不需要解決辦法，我只是想要你聽我吐苦水。』聽到這些話，男人會很高興，因為他清楚知道自己該怎麼做。

解決辦法

和女人說話時，假使男人不確定她是在問解決方法，還是只是在聊天，他可以問：『妳想我以女孩的角度聽妳說，還是以男孩的角度？』要是她希望男人以女孩的角度聽，他就只聽就好。如果她想要男人以男孩的角度聽，那麼他就能提出解決方法。不管哪一種，雙方都不會動氣，因爲都了解彼此期待的是什麼。

通常女人想要的是有人聽她說話，不是要人指正她。

結論就是，關於提出建議這個舉動，男人的看法和女人的不同。男人認爲忠告與建議是關心與愛的表現，可是女人會把這個舉動解釋爲男人不願意聽她說話。這門課很簡單，但是非常重要。男人要做的，就是體貼的傾聽，尤其是女人心煩意亂的時候，如果不確定她想要自己做什麼反應，就問吧。女人要做的，就是說清楚妳期望聽妳傾吐的男人有何反應。

二、為什麼男人拿著電視遙控器時會不停轉台？

電視遙控器：【名詞，女性】從某電視頻道切換至另一頻道的一種工具；【名詞，男性】每兩分三十秒就可把五十五個頻道輪過一遍的一種工具。

幾千年來，男人在外打了一整天獵回家後，整晚就是坐在火堆前盯著火焰看。即使和朋友一起，男人也是呆坐在位置上，不會聊天，其他人也不會要求他講話或是要他一起聊天。這對男人而言，是一種寶貴的放鬆方式，同時也爲第二天的活動充電。

現代的男人仍然保有相同的習慣，在一天結束後會盯著火焰看，只是火堆改成報紙、書，和電視遙控器。以前，我們曾經去過南非波札納的喀拉哈里沙漠裡，偏遠的奧卡萬戈三角洲。我們注意到某間茅屋屋頂上有根桿子，上面是由太陽能電池驅動的衛星天線。我們便好奇的進到屋內，結果看到一群喀拉哈里沙漠的原住民，腰間圍著纏腰布，坐在電視機前，手上拿著遙控器，然後一直換頻道，從第一個頻道轉到最後一個。

在天堂裡，每個男人都有三個遙控器，而且所有馬桶座都是掀起來的。

女人很討厭男人這種不停轉台的行爲。許多女人很想埋了抓著遙控器不放的老公，這早已變成一個常見的玩笑話。

漫長的一天結束後，女人喜歡坐下來看電視放鬆一下，特別是一些和人性、感情有關的連續劇。依據她的大腦構造，她會注意到演員的每句話以及肢體動作，喜歡從中去猜測接下來的劇情。連廣告她也愛看。然而男人看電視的過程就完全不一樣了，他是爲了要滿足兩個主要欲望。第一，思考解決方法，由於大腦構造傾向於解決問題，因此他的樂趣在於盡快得到結果。轉換頻道可以讓他分析每個節目的問題，並且思考需要的解決方法。第二，男人喜歡藉著看別人的問題，來忘記自己的，這就是爲什麼看晚間新聞報導的人中，男人的數目是女人的六倍。既然他一次只能專心做一件事，看別人遇到的麻煩，而自己又不用去解決，讓他可以暫時忘了自己的煩惱。因此這形成一種消除壓力的形式，如同上網瀏覽網頁、修車、澆花、做體操，或是做那個往往也是他最喜歡的——嘿咻。男人只要專注在一件事上，他就能把自己遇到的麻煩拋到腦後，心情就會好很多。

男人不想知道電視上現在在演什麼，他們只想知道電視上現在還有什麼別的。

如果女人心中有煩惱，不管她做什麼事，煩惱還是占據著她的心，她需要說給別人聽，這樣她才有解脫的感覺。兩性間的這點差異常常惹出不少問題。當男人在看報紙或是轉換頻道時，女人常會試著跟他說話，可是男人對她的話不會有反應，這就會令她不高興了。她會故意問他：『我剛剛說了什麼？』讓她失望的是，他通常還是答得出來。因爲他畢竟有聽到她在說話，只是他的大腦在處理看報紙這個任務，所以他有聽沒有進，也沒有仔細思考她說的內容，他僅僅記下她所說的字。

女人常指責男人說，每當她們在和男人說話時，男人都近在眼前，但遠在天邊。男人覺得很奇怪，他們明明覺得自己人就在她身旁啊。可是那只是肢體上的，女人還要男人用心。女人最憎惡男人粗心，因爲對她而言，那就是不關心她的表現。讓男人最不愉快的，就是沒給他們獨處時間，即使他們已經試著提供解決方法，而且不被採納了，依然無法如願獨處。女人越逼他，他的反抗就越大，越反抗，女人就越怨恨。

女人需要了解，男人發呆的行為，是他們消除壓力的方式，所以別把這個行為當做是衝著妳來的。男人講話時一次只講一件事。但女人的多軌式大腦，讓她得以一次談許多事，甚至可以同時談過去、現在以及未來的事。

男人沈默不語，不代表他不愛她。而是表示他想要有安靜的時間。

男人需要明白，女人訴苦不是為了解決問題，這是她們減輕壓力的方式。

解決辦法

她若想要解決拿著遙控器不放的問題，必須冷靜的跟他說明，他那樣做會讓她抓狂，請他不要在她看電視時一直轉台。或者她可以試著把遙控器藏在一個他絕對想不到的地方，這樣他就不會去找。如果兩種方法都沒有用，她可以考慮再買一台純粹屬於她自己的電視機，或是再買一個遙控器。

三、為什麼男人不會停下來問路？

十幾萬年來，男人都運用大腦中處理空間的部分來捕捉獵物，擊中目標。在這段期間，男人培養出很好的方向感，能夠憑直覺折回自己所走過的路，因此他們能夠到遠方打獵，之後還能找到路回家。所以男人進入沒有窗戶的屋子時，三個男人中至少有一人，可以在九十度的範圍中，辨認出北方的方向，但是以女人來說，五個中只有一個可以辦到。讓人遺憾的是，怎麼去感覺北方的方向，這是無法學習的，會就是會，不會就是不會。爲什麼男人會有這樣的方向感，最有可能的解釋，是他們的右大腦的鐵濃度高，所以他們可以感覺到北方的磁力。男人在球場裡看比賽時，可以準確無誤的找回自己觀眾席裡的位置，就是用同樣的技能，這技能也使他們可以在停車塔中找到自己停車的位置，以及可以回到只去過一次的地方。

負責守護家的女性，不會到天涯海角去冒險犯難，因此她們學會以路標認路，方向感對她們而言不是必要的，而且也不是她們的工作。如果她能找到樹、湖或山丘，她就能找到回家的路。男人要告訴女人方向時，這就是主要關鍵。如果他告訴她，找一條有大橡樹的路，接著走到湖對面的國際銀行，銀行旁還有間粉紅色的房子，這樣她就不會迷路，可以到達目的地。如果他是跟她說，走二十三號高速公路，到西邊第三個出口下，然後往北開五公里，也許就再也見不到她了。

男人不會迷路，他們只會又發現一個新的目的地。

要男人承認自己迷路，等於是要他承認自己拿手的技能——找路——不中用。他寧願被放在鐵板上烤，也不願跟女人承認這件事。如果坐在駕駛座旁邊的女人是妳，你們經過同一個車庫三次了，這時不能指責他或是給他建議，特別是當妳不想被趕下車走路的時候。

解決辦法

買份地圖或是指南給他，放在車上就行了。如果他喜歡玩電腦，現在許多城市都有光碟片的介紹，裡面有理想的路線圖，妳可以把圖列印出來，旅行時帶著。不然就是花點小錢，在他生日的時候，或是聖誕節的時候，買個掌上型的衛星導航系統當禮物，這是最好的辦法，因爲對男孩而言，它是個好玩的玩具，從此之後他永不犯錯，不再迷路，而且會永遠愛妳。

爲什麼僅僅是尋找一個卵子並讓它受精，卻要派出四百萬個精子呢？

因爲沒有一個願意問路。

在緊急的時候，有個安全的方法，就是告訴他，妳急著要上廁所，這會逼他停車，而且是停在加油站。妳去上廁所的時候，他就有時間假裝要買東西，然後順便問路。

四、為什麼男人堅持馬桶座要掀起來？

一九〇〇年代晚期之前，廁所都還是個放在屋後的小箱子。女人要去上廁所時，爲了安全起見，她會請別的女人陪她一起去。男人上廁所時則應該要自己一個人去，萬一出事，要自己保護自己。男人從不在馬桶尿尿，他們小解時都繼承了祖先的習性，必定是在矮樹叢裡或是面對某樣東西。所以很少看見男人在空曠的原野上小解，通常是面對某樣東西，比如說牆啊，或是樹木，而且就像動物一樣，這其中也具有劃分地盤的意味。十九世紀後期，抽水馬桶發明後（發明人可能是湯瑪士．克雷帕），原先不太受重視的廁所，在屋子裡有了自己的空間，同時也成爲公共設施。但是女人要上廁所時還是習慣呼朋引伴。你絕不會聽到男人說：『喂，阿德，我要去上廁所……你要一起去嗎？』

男人上廁所時，背後絕不會帶著一支啦啦隊。

現今各地的公共廁所，設備都是採取男女分開制，坐式馬桶是女用的，靠牆的尿斗是男用的。女人都是坐下來上廁所，男人大約只有百分之十到二十會需要坐在馬桶上。現在房子在設計時，多半都會盡量讓男女感到同樣舒適，但男人仍然是吃癟的一方，因爲家中的廁所還是比較適合女人。在家中，男人要把馬桶座掀起來，才不會弄濕，女人才能坐。

但是如果他忘了放下來，就會遭到嚴厲的指責。許多男人憎惡這種情形。爲什麼不反過來，要求女人替男人掀起馬桶座呢？有一些國家，如瑞典，就有訂定法律，在公共廁所時，男人要坐下來小便，因爲這樣才是政治正確的。

上帝把宇宙創造好之後，祂告訴亞當和夏娃，離開前要給他們兩個人各一項禮物。祂解釋，一個是工具，它會讓擁有它的人站著小便。亞當很興奮，苦苦哀求，讓他拿到這個禮物。

夏娃笑笑，有禮貌的跟上帝說，如果亞當眞的很想要那個禮物，那就給他吧。因此上帝就把這個禮物送給亞當，亞當收到禮物，很高興的走到樹下小便，還在沙上畫圖。上帝看到這情景，覺得禮物很適合。

接著上帝跟夏娃說：『唔，還有另一個禮物。』祂說：『我想可以送給妳。』『謝謝您。』夏娃說：『這個禮物叫什麼呢？』

上帝笑著說：『就叫多次高潮。』

在瑞典，幾年前有女權團體呼籲廢掉男用尿斗，因爲男人站著小解讓他們有『男性的驕傲』，貶低了女人。不過這個主張沒幾個人支援。有些地方，比如說美國的廣告公司，這類公司總是比較前衛，這些公司中的尿斗正逐漸消失，取而代之的是男女共用式的洗手間，而且是一間一間獨立式的，不過這麼做的原因和兩性平等無關，主要是為了省錢以及讓空間有最好的運用。二〇〇〇年時，德國有家公司推出世上第一個『女用尿斗』。到目前爲止，這項產品對全球用廁所的習慣，並沒有產生衝擊。

一位男性讀者寫信給我們，信中描述他與妻子關於馬桶座的爭議：

『男人的小弟弟有時候會有自己的意見，女人就是不懂這一點。男人進到廁所隔間時（因爲小便池都有人在用），他都已經準確地瞄準馬桶了，可是他的小弟弟還是不聽使喚，不僅弄濕衛生紙，還弄濕自己的腿，搞得褲子和鞋子都濕了。我告訴你啊，千萬別以爲老二很可靠啊。

『結婚二十八年了，我老婆現在開始訓練我。我再也不能像個男人站著小便。她要求我要坐下來，說這只是付出一點小代價，要不然如果她半夜起來上廁所，要是坐到被尿弄濕的馬桶座上，或是因爲我沒放下馬桶座而掉進馬桶裡，她絕對會殺了睡夢中的我。』

此外還有清晨勃起的問題，這時男人要瞄準目標比平常要難上兩倍，這也就是壁紙會濕濕的原因。而且他說即使是坐下來，還是有一些只有男人能體會的技術問題需要克服。他現在能夠以『超人飛翔』的姿勢，低下頭面對馬桶，這樣才能確保不會失誤。

『女人需要了解到，這不能全怪到男人頭上。我們知道她們是關心廁所的清潔衛生，但是有時候事情不是我們所能控制的。這不是我們的錯，這是自然之母（Mother Nature）

的過失。如果有自然之父……那就不會有問題了……』

實際上男人並不在乎馬桶座是掀起的還是放下的，然而要是女人不是好言相勸，或乾脆自己動手，而是粗暴地命令他放下馬桶座，那麼就眞的會惹惱他了。

解決辦法

要求男人坐下來小便，通常意味著以後不會再有問題發生。如果男人拒絕，不要激動，但是態度要堅定，告訴他，幾百年前，伊斯蘭教中的男人，每天要小便時都是坐下來的，並不覺得這樣會有損他們的男子氣概。據說穆罕默德只有站著小便一次，當時他在花園，不可能坐下來。假如這樣還說服不了他，最簡單的做法就是重訂家中的規矩。從現在開始，清掃廁所就是他的工作。也就是說，每天要把地板上的水漬擦乾淨。男人可能很快就會重新考量要不要坐著上廁所……

假如經濟許可，可以考慮買間有兩間廁所的房子，一間男用一間女用；不然就是重新裝修房子多做一間廁所。這樣就能使用符合自己清潔標準的廁所，不用承受別人的壓力。

五、為什麼男人不喜歡逛街購物？

當男人有個好處，就是能在八分鐘不到的時間，買好兩套西裝、三件襯衫、一條皮帶、三條領帶，以及兩雙鞋。這些衣服就夠男人穿上九年。他還能在耶誕夜下午四點半，花四十分鐘買好所有家人的禮物，而且是自己一個人搞定。

對男人而言，一雙鞋、一套西裝，以及幾件襯衫就能夠穿好幾季。同樣的髮型可以維持幾年，甚至是數十年不變。

到頭來，最長壽就是他的荷包，不會一下子元氣大傷。

在多數男人心裡，逛街購物如同醫生用冰冷的雙手檢查他的前列腺。英國心理學家，大衛·路易斯博士發現，男人在買聖誕節禮物時所承受的壓力，和警察面對暴民時所受的壓力一樣。然而逛街購物卻是每個女人消除壓力的方式，而且是最愛用的。

只要是研究過男女進化史，或研究過男女大腦構造的人，就會知道理由再簡單不過了。原始時代的男人扮演的是獵人，因此他們發展出管狀視野，使他們能夠很快把目光從甲點直接移到乙點。逛街買東西時，要成功的找到想買的物品，視線就需要在人群與商品間不斷作Z形穿梭，而這會讓男人感到極不自在，因爲他需要下定決心才有辦法移轉視線。女人的視野較廣，因此在擁擠的購物中心裡逛街買東西不是件難事。

男人購物秘訣第六十二條：

在保齡球道那樣的長通道裡，你才能買得到一雙特價二四九元的新鞋。

在進化過程中，男人逐漸變得能迅速殺死獵物，然後早點回家。現今男人在逛街購物時，就是那個樣子。女人購物的方式，也和她們的祖先蒐集食物的方式一樣：挑個好日子，找一群女人一起去個印象中有好果子的地方。不需要特定的目標或方向，也沒有時間的限制。她們花一整天的時間隨意亂逛，恣意品嘗摸捏找到的食物，同時天南地北的閒聊。如果食物尚未成熟，無法摘採，一天快結束時，她們就打道回府，即使毫無收穫也不在意，她們仍會覺得這天很充實。對男人而言，這種想法是很不可思議的。因爲男人覺得如果沒有目的地，沒有清楚的目標，或是時間限制，而且還是兩手空空的回家，就是失敗者。所以要男人下班回家途中，順便買牛奶、麵包、蛋，他帶回來的會是沙丁魚和軟糖。他忘了該買的東西，而是買了幾樣『便宜貨』回家，符合他迅速的本性。

女人會依氣候、季節、時尚、膚色、要去的地方，以及當天的心情、要見什麼人、要做什麼事而細心打扮。男人只會聞一聞他丟在椅子扶手上的那件衣服有沒有味道而已。

研究顯示，逛街買食物、衣服不只讓男人厭惡，所帶來的壓力，也會損害他們的健康。不過有幾個辦法可以幫男人，讓他們不會排斥逛街購物。

如何讓男人去採購食物

讓男人負責推購物車。男人喜歡能掌控東西的感覺，他們喜歡『駕駛』購物車，並且運用自己優越的空間感——轉彎、角度、速度等等。男人甚至不會討厭輪子不順的購物車，因爲這對他們的空間感與方向感都是個挑戰。許多男人在推購物車時，會在心裡發出引擎『轟轟』的聲音，和他們小時候一樣。不妨問問他，食物在購物車中怎樣安置比較合適，這會讓他運用空間感以取得正確的答案。在超級市場買東西時，女人喜歡到處看看，並且照著清單買，可是男人不一樣，他們喜歡依記憶，直接走到要買的物品擺放處，同時檢查物品的好壞。結果他們買回家的東西，通常都是同樣的物品，比如說，一個單身漢的廚房櫃子中，會有二十六罐烤豆子，以及九瓶番茄醬，除此之外的東西就很少了。在妳穿梭於貨架之間時，記得告訴他一些明確的目標，比如牌子啦，口味啦，容量等，然後盡量激勵他去找最便宜的價格。當他完成任務時，記得要嘉獎他。記得要問他想吃什麼、不時肯定他的成就，還要買如巧克力之類的東西當獎品給他。女人也許會覺得很難接受，不禁問：『採購食物需要這麼大費周章啊？』但是要記住，在男人大腦中，購物這條線路是不存在的，因此需要給他們動機。

選購衣服

很多女人覺得男人彷彿天生就只會挑醜的衣服買。此話還眞是不假。十幾萬年來，女人的穿著打扮是爲了誘惑人，而男人的穿著卻是爲了嚇唬敵人。男人會在臉上、身上塗上色彩，用根骨頭穿過鼻子，頭上戴著水牛骨，胯下吊著一塊石頭。假如哪天，科學家發現男人，尤其是異性戀男人，天生就有『差勁的服裝品味』的基因，我們也不會感到驚訝。

我們總是手牽著手。要是我放開，她就會跑去買東西。
——亞倫．皮斯

買食物的激勵法，也可以用在買衣服上，告訴他尺寸、顏色、質料，還有價錢範圍，然後就叫他出發搜索吧。男人的大腦一次只能處理一件任務。

從穿著入時的男人身上，你能知道什麼？
他有個會挑衣服的老婆。

一項用雞進行的研究，能讓我們了解男人的購物行為。餵雞吃男性荷爾蒙，牠們啄食上色飼料的方式便會有所改變。牠們會先吃完紅色的飼料，然後再吃黃色的。其他沒有餵男性荷爾蒙的雞則是全部都吃，不會有顏色選擇上的差別。

解決辦法

一次只給他一件任務去做，還有，不要再試著說服他，說妳買那麼多東西是為了省錢。絕對不要問他：『我穿藍色衣服好看，還是金黃色衣服好看？』一問他這類的問題，他就開始緊張，因爲他曉得自己的答案總是不對，因此注定失敗。

大多數男人只有兩雙鞋，男人的大腦結構，令他們天生不擅長搭配花色與款式，加上有八分之一的男性，分不清紅、藍，或綠色的其中一色。

如果女人要叫男人幫她買衣服，或是從衣架上拿件衣服，就必須告訴他衣服的明確尺寸。要是他拿的衣服太大，她就會怪他是不是認爲她胖。要是他拿的衣服太小，她就會懷疑是不是自己變胖了。如果她要幫男人打扮，只需要把衣服分成十個等級讓他打分就行了，千萬別問比較性的問題，像是：『綠色是不是比黃色好看？』如果女人要男人坐在更衣室外的『無聊老公席』等候，一定要幫他準備吃的東西。

不過即使有了這些策略，大多數男人還是只能撐差不多三十分鐘。如果妳堅持要他一起逛街，強烈建議妳找附近有大型五金賣場的地方，至少他在回家之前，有機會試用百得牌那個不用搬梯子就能在水泥天花板上鑽出完美無瑕小洞的最新款雙扭力電鑽。

六、為什麼每個男人都有讓人討厭的習慣？

不論在哪個國家，都有女人抱怨男人有讓人無法接受的習慣。不過，科學研究尚無法印證這一點。男人比較容易接納女人的壞習慣，而且跟女人比起來，男人很少去注意這些小細節。因此即使女人不經意間做出不雅動作，男人也不會注意到。

當男人很好，因爲不用特別跑去洗手間調整私處。

女人無法忍受的習慣中，排前幾名的是：挖鼻孔、打嗝、體臭、穿陳年舊內褲，以及抓胯下。不過讓女人最受不了的，就是放屁。

屁：【名詞，女性】因消化所產生的令人難堪的副產品。

【名詞，男性】一種無上的娛樂、自我表達方式，並具有鞏固男性情誼的妙途。

女人哪，是徹底厭惡放屁這回事，她們才不管那代表身體健康，消化功能良好呢。男人可不一樣啦，對男人來說，放屁是種消遣。十歲左右的男孩是會把放屁當做一種炫耀的事呢，要是有辦法在不同情況下，放出不同的屁，比如說模仿聲音，或是用打火機射出一道藍火焰，這可是會成爲男孩崇拜的對象呢，比發現小兒痲痺療法還偉大。很會打嗝的人還得排在會放屁的人後面呢。

要說到放屁中最有名的，就屬約瑟夫・畢袞爾了，一八九二年時，他化名爲『屁仙』在巴黎紅磨坊有轟動全場的表演。一開始他先說故事，特別的是，他放出一連串的屁，這串屁竟然表現出不同人物的聲音。要是在他的臀部插根管子，他竟然可以透過管子抽菸。把管子連在笛子上，他還能吹出國歌。根據記載，放聲大笑的男人比女人還多，還有人笑到昏倒，送進醫院呢。

關於屁的小知識

百分之九十六點三的男人會承認自己放屁，但是會承認的女人只有百分之二點一。男人一天平均會排氣一點五到二點五公升，放屁十二次，這些量足夠充滿一個小氣球。女人一天平均放屁七次，排氣則約一到一點五公升。平均次數如果高於上述的數字，主因就是說太多話，以及在吃東西時說話。氣被卡在身體裡，雖然大多藉打嗝排出，不過其餘會通過小腸，再融合別種氣體，不時就有可能一鳴驚人。一九五六年，倫敦的伯納德・克萊門爲了要在正式紀錄上留名，設法放了一個長達兩分四十二秒的長屁。

爲什麼男人比女人常放屁？

因爲女人閉嘴的時間太短，壓力總是累積不足。

屁的成分有百分之五十到六十是氮，百分之三十到四十是二氧化碳。其餘百分之五到十是甲烷，也就是引發礦坑爆炸的元凶，還有氫氣，氫氣運用在炸彈上，其威力足以毀滅一個城市。蛋是這些氣體最主要的來源之一，而由蛋造成的，就是眾所周知的『臭蛋屁』。

會讓人放屁的食物

會讓人放屁的食物有：花椰菜、洋蔥、大蒜、高麗菜、麥片、豆子、啤酒、桶裝白酒，以及大部分的蔬菜水果。因此，素食者放的屁比一般人多，但也不那麼臭。能減低放屁味道的產品有：竹炭片、空氣清淨器，以及含薄荷油和生薑的物品。如今市面上也有販售含炭坐墊。坐在上面保證可以減少九成的味道。

牛羊放的屁，其中百分之三十五是甲烷，這些甲烷釋放在地球空氣中，造成溫室效應，還讓臭氧層的破洞越來越大。所以威脅世界安全的不是恐怖主義，而是放屁的牛！

解決辦法

欲改善放屁的狀況，請盡量提供不會促進放屁的健康餐，而且飯後給男人一杯薄荷茶，不要給他喝咖啡。均衡的減肥餐成效也很好，因爲減肥餐不會在同一餐裡，同時包含蛋和碳水化合類食物。

睡前兩小時內，不應讓男人吃任何促進放屁的食物。

鼓勵男人在吃飯時不要喝開水。吃飯前喝可以，但在吃飯時喝水會稀釋消化液，所以飯後放屁的機率會大大增加。吃飯時細嚼慢嚥，不要邊看電視邊吃。如果他仍堅持狼吞虎嚥，而且常常放屁，那妳就得想別的手段了。以下是我們一位讀者的例子：

尼傑常常在公共場所放又響又臭的屁，每次和莎朗去逛百貨公司時，他都會忍不住放屁。每次他放完都一臉正經，沒有人會想到是他。

當周圍的人轉過頭看這對夫妻時，莎朗就很不安，一張臉脹得通紅，一副不知所措的模樣，讓人覺得罪人就是她。尼傑覺得很好玩，可是兩人最後總大吵一架。在家裡時他會在床上放屁，還說那是在『考驗眞愛』。

莎朗決定在臥室和廚房設一個『禁止放屁區』。在公共場所時，他要放屁的話，要提早兩分鐘告訴她。如果他不答應，她就會在他放屁時，拿出包包裡的衛生紙，大聲說：『需要衛生紙嗎？』

通常寵物也能幫上忙。聽到響屁或是聞到臭屁，回頭大聲責備你的狗或貓，可以比較容易脫困。

要男人乖乖聽話，最有效的一招就是利用性，假如他表現良好的話，妳才跟他嘿咻。女人可以講清楚，告訴他自己有多厭惡男人在床上放屁，厭惡到會讓她性趣缺缺。告訴他，要是他願意爲了少放屁而努力控制飲食的話，他就能體驗到更精采的性生活。

七、為什麼男人喜歡講低級笑話？

男人說笑話主要有三個目的：一、說些好笑話，很快就能和其他人打成一片；二、處理令人悲傷的事情時，說笑話可以緩和哀傷的情緒；三、說笑話能對某議題的眞實性表示肯定。所以笑話幾乎都很毒舌，而且結局都很悲慘。遠古時代笑聲的作用，是用來提醒別人有危險逼近，這種情形在現今的人猿身上也看得到。舉例來說，如果黑猩猩遭到獅子攻擊，而牠僥倖逃過，牠便會爬上樹，轉過頭，然後發出一連串呼呼哈哈的聲音，聽起來和人類的笑聲很像。這個舉動就是在警告其他黑猩猩，通知牠們有危險了。笑是哭的延伸，而哭是害怕的反應，在嬰孩時期最爲明顯。假如你玩捉迷藏的時候，出其不意去嚇一個小孩，他第一個反應一定是哭。當他明白生命沒有受到威脅時，便會破涕爲笑，這個害怕的反應過後的笑，表示他知道那只是惡作劇。

大腦掃描的結果顯示，刺激到右腦的事，比刺激到左腦的事更能令男人發笑，女人則是相反。美國羅徹斯特大學宣布，他們發現男人大腦中，負責幽默感的部分，位於右眼上方的右大腦額葉。男人喜歡有邏輯、按部就班但結果讓人意外的笑話。底下是幾個能刺激男人大腦的無聊笑話：

1. 妓女和婊子有什麼不同？

妓女是人盡可夫。婊子也差不多，只是那個『夫』不包括你在內。

2. 有經前症候群的女人和恐怖分子有什麼不同？

恐怖分子是可以溝通談判的。

3.為什麼男人要給自己的陰莖取名字？

因爲他們不想讓陌生人替自己做重要決定。

男性和女性所講的笑話，最大的不同在於男性很愛講和悲劇、可怕事件，以及男性生殖器有關的笑話。女性的性器官有著負責人類繁殖的重大使命，因此平常是隱藏起來的，如果平攤展開，長度有四公里多。可是女人從不拿它來開玩笑，也不會替它取小名，更不會把它當做笑話靈感來源。

男性的性器官就掛在正面，是一個明顯、易受攻擊的危險位置（再次證明上帝是女性），而且經常被男性拿來調侃、開玩笑。

女性的笑話多和人、感情，以及男人有關。例如：

1.妳會對剛嘿咻完的男人說什麼？

說什麼都行，反正他睡著了。

2.完美男情人的定義是什麼？

他可以持續嘿咻到二點，然後再變成巧克力。

3.爲什麼男人不會假裝高潮？

因爲沒有男人會故意做鬼臉。

男人的大腦具有驚人的記憶兼儲存笑話的能力。有些男人連小學四年級聽過的笑話都還記得，卻想不起當時死黨的名字。男人覺得很多事都很爆笑，例如從行駛中的車裡，瞪一群不疑有他的老婦人，尤其是修女，在馬桶座上塗上強力膠或是包一層保鮮膜，舉辦什麼放屁大賽，或把喝醉了的準新郎剝光，然後綁在路燈柱上。在大多女人眼裡，這些事一點都不好笑。

笑話對男人是如此重要的溝通媒介，以致每次發生國際大災難時，男人便會透過電子郵件和傳眞發送和該事件有關的笑話。不管是戴安娜王妃的意外，或是九一一事件，抑或是獵捕賓拉登，男人的腦筋馬上活絡起來。

賓拉登有五十三個兄弟姐妹，十三個妻子，二十八個子女，

而且有三億美元的身價。

不過他恨美國人，因爲他們的生活方式太放縱了。

面對嚴肅的感情事件時，男性與女性的差異在此便可見一斑。碰到災難或慘事發生時，女性會向旁人表達自己情緒，不會掩飾。

可是男性不會，他們會抑制自己的情緒。爲了不顯露強烈的情緒反應，男性藉由說笑話來『談論』事件，這樣才不會被視做軟弱。

笑話如何撫平傷痛

笑和哭會刺激大腦分泌內啡呔（endorphin）到血液中。內啡呔這種化學物質，成分和嗎啡、海洛因類似，有鎮靜的效果，同時還能加強免疫系統。這也就是爲什麼心情常保愉快的人很少生病，而經常怨東怨西的人則常常生病。

從心理學和生理學的觀點來看，笑和哭的關係很密切。不妨回想一下，最近一次聽人講笑話，你笑得上氣不接下氣的情形。大笑過之後你有什麼感覺？那股麻刺感來自大腦釋放進血液中的內啡呔，讓人自然產生『興奮』的感覺。事實上，你是『失去感覺』。那些沒辦法大笑的人，爲了得到相同效果，便從嗑藥、酗酒，或是性愛中追求。酒精能使人放鬆，不再壓抑，而且會讓人大笑，釋放內啡呔，所以很多懂得調整情緒的人，喝酒後比較會笑；不快樂的人喝了酒後，反而更不快樂，甚至會有暴力傾向。

大笑過後，通常緊接著的是哭。『我才笑完，跟著就哭起來了！』眼淚含有腦啡（enkephalin），是身體另一種舒發痛苦的自然鎮定劑。碰到讓我們痛苦的事情時，我們會哭，讓內啡呔和腦啡進行自我麻醉。

算命的兩眼盯著水晶球，約翰直挺挺的坐著。突然，她放聲大笑，約翰一拳打在她臉上。這是他第一次打在一個快樂的對象身上①。

很多笑話是從讓人痛苦的事發展出來的。不過我們知道那不是眞的，所以我們會笑，釋放出內啡呔來自我麻醉。假如是眞的，我們就不是笑了，而是哭，身體還是會分泌腦啡。所以說哭和笑有密切關係。死亡會強烈影響人的情緒，讓人哭泣。然而在不相信那個人眞的過世時，一開始的反應會是笑。等到證實並接受事實時，便會轉笑爲哭。

笑有麻醉身體的效果，但也能增強免疫系統，保護人體不受疾病侵襲，加強記憶力，增加學習效率，還能延年益壽。幽默是萬靈丹。根據世界各地的研究，笑對身體有正面的效果，能解除身體的痛苦，增強免疫系統。大笑過後，脈搏跳動穩定，呼吸加深，動脈擴張，肌肉放鬆。

笑是男人處理痛苦情緒的主要方式。越讓他難過、不想談論的事，在說相關笑話時，他會笑得越厲害，然而在女人眼中，這卻是無情的表現。男人很少會跟別的男人談起他們的性生活，不過說笑話就是他們談論的方式。可是女人會和朋友談論她們的性生活，不用笑話的幫助，就能說得活靈活現。

別覺得被冒犯了

只要有愛爾蘭男人在，就會有愛爾蘭式的笑話。這同樣可以換成亞洲人、澳洲人，或

譯註①：strike a happy medium，另有『達成和解』之意。

女權主義者。而且每次有悲慘的事發生，笑話就會自然而然產生。被冒犯的感覺是種選擇。沒有人可以讓你感到自己受辱，而是你自己選擇要這樣的。這個選擇等於讓所有人知道，你沒辦法接受用開玩笑的方式來陳述問題。本書的兩個作者，是澳洲人，住在英國，而英國人愛在我們面前開澳洲人玩笑：

『澳洲人和優酪有什麼不同？優酪比澳洲人有教養②！』

『爲什麼澳洲人這麼均衡？因爲他們對凡事都不滿足③。』

還有『怎麼分辨哪個澳洲人的頭腦冷靜④？看誰兩邊嘴角都流口水就是啦。』

這些玩笑話並不會讓我們感到不愉快，因爲我們不會做那樣的選擇。如果是個好笑話，我們也會跟著英國人一起大笑。

有人取笑你的同胞，笑他們是蠢蛋時，你也許選擇感到受辱。但那並不代表你的同胞眞的是蠢蛋，而就算你同意你同胞是蠢蛋，去罵說笑話的人也不會讓你的同胞變聰明。塞車的時候你會生氣，但是並不會因爲你生氣而變得交通順暢。你可以冷靜下來，分析一下塞車的原因，或許可以想出解決問題的辦法。沒有生氣的必要。

在晚宴的場合就更難處理了，尤其當妳是主人的時候。當妳要求男客人不要講不合宜的笑話時，可能會讓他有被當眾羞辱的感覺，令他不顧一切，講出更低級的笑話。最好的方法，是想辦法用以下這類的話當做開場，談他的笑話：『你有不下流的笑話可以講嗎？還是所有的笑話都是下流的？』

這麼一來，與餐的所有客人就能夠開始談什麼才是幽默。要是妳能告訴他們，爲什麼女人對笑話的反應和男人大不同的原因，妳的客人會因爲妳豐富的知識而崇拜妳。

壞習慣——要怪他的母親

有些女人把男人當做是頑皮的小男孩，永遠長不大。她們說男人愛把衣服扔在地板上，不會幫忙做家事，老找不到東西，不喜歡問路，期望別人服侍，還有死不認錯。女性大腦的構造，是要照顧並教育其他人，特別是她們的兒子。

母親跟在兒子屁股後面收拾東西，煮他愛吃的東西，幫他熨衣服，給他零用錢，不讓日常生活中的瑣碎小事煩他。結果造成很多男孩在長大後，對家事一竅不通，也不了解該怎麼和女人相處。

重新教育男人

不管成人還是小孩，想要某人養成妳要的行爲習慣，就得訓練他。他做的是妳要他養

譯註②：因爲優酪需要經過細菌培養，藉此諷刺澳洲人沒文化。
譯註③：They have a chip on both shoulders，另有『雙肩皆頂著同一物』之意。
譯註④：level-headed，頭腦冷靜，另有『平衡的頭』之意，因爲一邊一柱口水能讓頭平衡。

成的行爲習慣時，就獎勵他；不是妳要的，就視而不見。例如，如果男人把換下來的衣服或濕毛巾丟在地上，不是丟在洗衣籃中，溫柔的跟他解釋，妳認爲這些衣物應該放在洗衣籃中，這樣要洗比較方便。假如他還是把衣物亂丟，那就別再幫他收拾了。

如果他們妨礙妳維持一個乾淨整潔的家，冷靜地告訴他們，妳會把所有這些東西用塑膠袋收在碗櫥裡，或床底下、車庫中。這麼一來，當他需要用到的時候，至少知道在什麼地方可以找到。避免用諷刺、批判，或是盛氣凌人的態度，這幾種態度對男人會產生反效果。到最後他沒有乾淨的內衣、襯衫、毛巾可用時，那就是他的麻煩，不是妳的。

如果想要重新訓練妳的男人，妳必須反抗幫他收拾的強烈欲望。當他把東西收好時，妳只要說聲謝謝或是給他一個微笑做爲獎勵就行了。有些女人認爲，男人收拾自己的衣服本來就是他們該做的事，爲什麼要跟他們道謝，可是要了解，男人在進化的過程中，本來就不是保護家的角色，所以不習慣做家裡瑣碎的小事。如果男人的母親沒有訓練他做這些事，那就得由妳來了。

另外，要是妳繼續幫男人（或男孩）收拾，妳得接受妳選擇當他母親的角色，也許妳會覺得扮演這個角色很快樂。重點在於要好好控制妳生命中的男人，吵架、生氣，或是覺得沮喪都無濟於事。這麼一來，兩性就能相處愉快。下次我們再問女人，男人有哪七項事情讓她們抓狂的，說不定她們能列出來的不到三項。說不定。

chapter 3

女人為什麼愛哭？

女人是水做的，
一點都不假！

到目前爲止，我們一直是以認眞但幽默的方式，來探討兩性的不同以及如何看待這些差異。現在，我們要來看看有些人怎麼以情感來操縱別人，讓別人順從。這裡的故事全是眞實的，不過爲了保護當事人，全部換成假名。

有時候人哭是心底的直接反應，但大多時候哭是爲了操控別人的情感。男人偶爾會這樣，不過女人常常把眼淚當做一種情感勒索。有時候，她們並不了解自己在做什麼。她們會因爲某情境而哭，心裡知道自己哭會讓其他人難過，並且期望自己因此就能操縱他們。這種操控別人的心理，有可能是故意的，也可能是下意識的行爲。哭的目的，是想迫使別人——如丈夫、情人、子女、父母，或是朋友——去做他們不想做的事。女人做錯事，像紅杏出牆，或是在商場裡順手牽羊，也是利用哭來表達悔意，並且想藉此減輕責罰。這一章的目的，是要幫助你們分辨身邊的人裡，誰用這些謀略來操控你或欺騙你，讓你任由他們擺佈。

為什麼我們會哭？

哭：【動詞】大哭，又哭又鬧，哭號，嚎哭，流淚，慟哭，啜泣，嚎啕，悲泣，嗚咽，哭訴。

人類和別的動物一樣都會哭，而且都是從一出生就開始了，不過人類是地球上唯一會因爲情緒而哭的生物。眼淚對人類有三個用途：能夠清潔眼球表面；能將身體內過多的化學物質排出；在情緒激動的時候，能表達出心情的沮喪。

淚水是由眼睛上方的淚腺所形成，從眼睛內側角落，延伸到鼻腔中的淚管流出。在激動或沮喪的情況下，淚管無法快速排出過量的淚水，便會延著臉頰流下。

為什麼女人比男人愛哭？

人一出生就會哭，目的是想讓大人產生憐愛以及保護的感覺。嬰兒有需求時會哭，成年後，有些女人仍保有這個習慣。大部女人可以從嬰兒的哭聲分辨出七種不同的意思，知道他們需要什麼。女人的淚腺比男人發達，這是因爲女性大腦對情緒反應較敏感。男人很少在別人面前哭，從進化的觀點來看，在別人面前，特別是在別的男人面前，表露自己的情緒是很危險的。因爲會讓人把他當成軟弱的人，動起攻擊他的念頭。女人不一樣。女人在別人面前顯露情緒，尤其是別的女人面前，是信任的表現，因爲哭泣的女人在此時已成嬰兒，她的朋友則轉成母親這類保護者的角色。

就目前所知，眼淚有底下三個主要目的：

清洗眼睛

許多動物學家認爲這個功能是來自水中生物的遺傳，人類在進化前活動範圍主要在水中，為了能在水中游得更好而進化成手腳有蹼，鼻孔朝下的結構。淚腺分泌水分進入眼睛，然後經過淚管從鼻腔排出。淚水會清洗眼球中的鹽以及其他不乾淨的東西，其他靈長類動物沒有這個功能。淚水含有一種物質叫做溶解酵素，能殺死細菌，保護眼睛不受感染。

能減輕壓力

哭泣的淚水經過分析，成分和清洗眼睛的淚水不一樣。似乎身體是藉淚水來排除壓力在體內造成的毒素。這說明了爲什麼女人在『大哭一場』後，會覺得好多了，就算讓她哭的只是件微不足道的小事。淚水中也含有內啡呔，這是身體自然產生天然的止痛劑，能舒緩痛苦的情緒。

發洩情緒的信號

海豹海獺在失去子女時會哭泣。但在陸地上，人類是唯一會因情緒以及爲了操縱別人的情緒而哭的動物。想要別人安慰或擁抱時，哭泣是最明顯的信號，不僅如此，還能刺激一種叫催產素的荷爾蒙分泌，催產素會讓人產生被擁抱的欲望。

海豹和海獺不會用哭泣來操縱對方，只有人類才會這樣做。

人在情緒激動的時候，眼睛會眨個不停，不過並不至於分泌出足以順著臉頰流下的淚水。所以較高傲的父母或情人，多半只會眨眼或眼眶泛淚。

哭泣，情感的勒索

勒索的原理

現在你了解眼淚有哪些目的了，我們就要開始分析，人是如何利用眼淚來操控別人。

實例探討：喬治娜的故事

喬治娜是位美麗又有智慧的女性。擔任個人行政助理之前，她先去訓練秘書的學院上課。她喜歡這種能快速得到一切的生活：參加宴會、昂貴的公寓、名師設計的衣服，以及跑車。賺的錢足夠她的生活開銷，但是奢侈的社交生活花費，多半由她的男伴們支付。

然而喬治娜痛恨爲了生活而工作。每天晚上狂歡後，要她隔天早起，九點準時上班打卡是件很痛苦的事情。她的社交生活和工作沒辦法共存。

一天晚上，在參加宴會的時候，她告訴一位男士她的困擾。這位男士有點年紀了，似乎挺富有的，有別墅，有遊艇，還到世界各地旅行，而且看起來好像不用工作的樣子。他建議喬治娜可以選擇當個高級伴遊女郎，他能幫忙介紹大客戶，只要讓他抽少許佣金就行了。

深思幾天後，喬治娜接納他的建議，沒多久，她就過著心裡想要的生活，非常享受。可是很快的，她就覺得有罪惡感，良心不安，加上一次暴力事件，讓她覺得之前的生活其實也不錯。她搬家，改名叫潘蜜拉，並且在一家規模頗大的會計事務所上班。現在的潘蜜拉和公司裡的同事拍拖，這個人是她的上司，格雷姆。後來兩人結婚了，過了三年甜蜜的婚姻生活，也生了個小孩。喬治娜，也就是潘蜜拉過著幸福的生活。有個很棒的丈夫疼愛她，有漂亮可愛的小嬰兒，有個新家，沒有財務問題，還有許多朋友。

一天早晨她接到一通法蘭克打來的電話。法蘭克是她當伴遊女郎時的一位恩客。他想再見她，並邀她共餐。潘蜜拉拒絕了。那已經是過去的事了，她不會再重操舊業的。法蘭克叫潘蜜拉自己看著辦，並威脅把她從前的身分抖出來，讓她先生和朋友知道。

潘蜜拉面臨重大危機。她可能失去所有東西——丈夫、家、孩子，以及安穩生活。

她和法蘭克碰面，法蘭克跟她勒索一萬美元的遮口費。她覺得自己被逼上絕路，必須付錢，還好她存有一點私房錢。三個月後，法蘭克又來了，這次要求更多，而且不只要錢，還要潘蜜拉跟他上床。潘蜜拉報警了。法蘭克的勒索罪成立，被判入獄一年。雖然她的丈夫格雷姆處理得很好，但潘蜜拉知道，她的生活不可能和以前一樣了。

這是典型的勒索案件。只要有人想在別人身上榨取利益，案中的手法必不陌生。底下是幾個常見的因素以及主角：

受害人：有罪惡感或有責任心的人。
勒索人：知道受害人弱點的人。
要求：遮口費或是要對方任由他擺佈。
威脅：威脅要洩露秘密，懲罰你，會讓你失去很重要的東西，或是讓你內疚。
反抗：受害人拒絕合作。
妥協：答應勒索人的要求。
持續：勒索人不會停止，會持續提出要求。

有些人從來不認爲自己身邊的人，會對自己耍這些手段；他們只認爲這種人是『驕縱』或『盯得緊』。本章將幫助你辨認出自己身邊的這種人，並教你該怎麼做。

情感勒索

和你很親密的人才能以此來勒索你，他們或用暗示，或用威脅的方式，讓你聽從他們的話，不聽的話，他們就會讓你不好過。對於你的弱點和秘密，他們是瞭如指掌，以此來逼你就範。不管是你的優點還是缺點，都會被勒索人拿來對付你。

實例探討：羅絲瑪麗的故事

羅絲瑪麗的丈夫格雷和她的母親合不來。她母親認爲格雷配不上她，常常想辦法在夫妻倆之間製造問題。

有一天，她告訴女兒，她的朋友在酒吧看到格雷和別的女人一起。羅絲瑪麗說：『也許是同事吧。何況我們又不是彼此所「擁有」的物品。』

羅絲瑪麗跟格雷提起這件事。他很生氣，指責羅絲瑪麗在監視他。他說：『如果妳不信任我，也許該好好檢討一下我們的關係。』但是羅絲瑪麗沒有停止追問，最後格雷被逼到說出來，他說那個女人是酒吧老闆，羅絲瑪麗的生日快到了，他在籌畫生日派對，想給她一個驚喜。接著他堅持要羅絲瑪麗跟他去酒吧，讓她跟老闆見見面。

兩年後，羅絲瑪麗的母親摔傷了，很嚴重，在醫院裡住了四個月，出院後她變得很衰弱，也失去自信心。羅絲瑪麗的心情很沈重，她知道她得要求母親和他們一起住，不過她也清楚格雷不會喜歡。她謹愼地選擇提出這件事的時機。

這天晚上，她仔細的打扮自己，準備了格雷最愛吃的東西。格雷回到家時，她遞上一杯葡萄酒，問他今天過得如何。等到兩人坐下來要開始用餐時，她知道格雷已經平靜而且放鬆下來了。

吃完甜點後，她手支著頭，露出沈思的表情。格雷看了有點擔心，便問她在煩惱什麼。她說：『我不知道該怎麼跟你說。可是我很擔心。』格雷撫著她的手說：『什麼事呢？羅絲？是不是因爲我做了什麼不該做的事？』羅絲瑪麗搖搖頭，傷心地說：『不是，格雷，不是因爲你的關係。我只是……』她開始哭。

格雷輕擁著她，懇求她告訴他發生什麼事。她哭著搖搖頭。『沒有關係的，格雷，我能克服的。對不起，讓你擔心了。不用擔心的。』格雷很誠懇的說：『告訴我發生什麼事了。應該沒那麼嚴重吧？』羅絲瑪麗抬起頭看著他，淚眼婆娑的說：『不，格雷，我怕你會生我的氣，我不想那樣，因爲我受不了你生我的氣。』語調輕柔帶點哽咽。『你不會了解的。』格雷也開始覺得沮喪了。『拜託，告訴我。』他說：『眞的，我會試著去了解的。』格雷開始往壞的方面想。羅絲瑪麗一定是有外遇了。

羅絲瑪麗身體輕顫，手輕擦眼睛，深吸口氣。『是媽。』她說：『她現在很虛弱，我很擔心她。我想接她過來，好照顧她，可是我知道你不太喜歡她和我們住。本來我不想說的，可是這眞的讓我很難過。一想到她孤零零的一個人住，沒有人照顧她，如果她又跌倒了怎麼辦？唉，格雷，我不知道該怎麼辦……如果是婆婆，我就知道怎麼處理，可是……』她開始啜泣。

一開始格雷根本就不喜歡岳母搬來的想法。可是在羅絲瑪麗哭了兩天之後，他開始覺得內疚。如果他眞的愛羅絲瑪麗，他是不是應該爲她犧牲呢？這才是愛的眞諦不是嗎？婚姻的意義在於妥協不是嗎？羅絲瑪麗認爲他自私又殘酷，他覺得並沒有錯。最後格雷同意試一個月看看。羅絲瑪麗和她母親都明白，只要她一進門，要她再搬出去是不可能的事。而格雷也知道，只要他反對，就得面對眼淚和責罵，到最後他還是不好過。這種情形反覆出現，成爲一種固定模式。羅絲瑪麗和格雷的故事是典型的勒索例子，爲了得到個人利益，一個人試圖以情感來操控另一個人。

受害人：格雷有弱點，而且當妻子很沮喪、煩惱時，會讓他感到内疚。
勒索人：羅絲瑪麗，她清楚格雷的弱點。
要求：讓羅絲瑪麗的母親搬過來。
威脅：暗示如果不答應羅絲瑪麗的要求，她對格雷的愛便會減少。
反抗：格雷一開始拒絕配合。
妥協：格雷屈服了，答應羅絲瑪麗的要求。
持續：無法避免的爭執和眼淚。

每個人至少都認識一個像這樣利用情感來進行勒索的人，用這種方法來逼迫他做一開始不願意做的事。也許會和格雷的情況類似，不過如果是那種愛拐彎抹角的人，這種人從不直接說他們想要什麼，而是耍弄些小伎倆來達成他們的目的。你身邊的人有哪些爲了達到目的，會用這種手段來操控你，或是唬弄你，得好好分辨清楚，這很重要。大多數人不知道他們的朋友或家人會用這種心機深沈的小手段，只把他們當做是太過武斷或是過於強勢。被情感勒索的下場通常都不好。

最常利用情感來進行勒索的人，是家人和好朋友。

到最後你答應去做原本不想做的事，或是相信在那種情況下，答應才是明智的舉動。在答應之前，勒索人會讓你覺得自己很壞，使你感到內疚。你一定會討厭這樣的狀況。不管你有沒有察覺到這種情形，長期下來，你和勒索人的感情會產生變化。

男人和情感勒索

男人在情感勒索中常常是受害人，而非加害人。男人喜歡直接問別人想要什麼。而女人在進化過程中，扮演的是維持和平的角色，所以不太好意思明白說出自己想要什麼。許多女人缺乏自信，因此不了解她們的要求其實是她們應得的。

身爲家的守護者，女人渴望別人能喜歡她們。伴侶、子女、其他家人，或別的人際團體之間潤滑劑，全都是由她們充當。她們大腦的構造，讓她們有辦法與他人產生良好互動。因此，她們常常利用情感進行勒索以達到她們的目的，而不是用直接說出她們的需要，這樣就不用冒著被拒絕的風險。

情感勒索似乎是個好用的招數，因爲可以避免衝突。

男人也會使用這種伎倆，只是不會耍太多花招。男人的大腦功能在處理情感方面的事情時，會變得比較遲鈍。男人還是扮演獵人身分時，他們喜歡直接的方式，因此他們的大腦就朝這方向發展。如果男人希望他的母親搬來和他一起住，在開口問伴侶之前，他會先買一大束花，就只有這一招。接著他會提出話題，然後直接進行意見溝通，不牽扯感情，著重在正反兩面意見的討論。他可能會說出自己想好的計畫，像是擴建屋子，請人來照顧他母親，週末外出度假時可以不帶他母親去等等。男人常要別人照他們所想的去做，而許多女人都會照他們所要求的去做。

男人會先想好計畫然後直說要求。女人則較喜歡用情感勒索的方式。

在歷史上，大多都是男人的權勢比女人大，想要操縱人可以不用偷偷摸摸。很少有女人取到足夠的權力來支配別人，所以幾百年來女人靠的都是計謀來達成目的。不過在某些情況下，男人的確也會利用情感進行勒索。例如，年輕男人會試圖誘拐女友上床，利用女友對他的感情進行勒索，以達成他的目的。

實例探討：達米安的故事

達米安和安莉卡約會兩次了，兩次最後都是激情擁吻，直到安莉卡感到不好意思，主動結束熱吻，手腳發軟的爬出他的車子，走上回家的小路。而且安莉卡是和父母親同住。達米安快失去耐性了，他喜歡安莉卡，想和她上床，可是她似乎在抗拒。他不了解原因。她說她喜歡他，他覺得安莉卡應該和他一樣，很想做愛做的事。

第三次約會時，兩人去看電影，然後吃了一頓比他預期貴很多的大餐，達米安在一座幽暗的公園旁，關掉引擎。他轉過身開始親吻安莉卡，撫摸她的胸部。安莉卡幫他解開自己的胸罩，兩人愛撫著對方。五分鐘後，他試著拉下安莉卡的裙子，可是她推開他的手。第二次也被推開，第三次也是。他放棄了，停下動作，問安莉卡怎麼回事。

『聽我說，我真的很喜歡妳。』他跟她說：『真的很想要妳。我覺得我們很合得來，我想讓妳知道我有多在意妳。』安莉卡有點動搖。『對不起，達米安，我也很喜歡你，可是太快了，我覺得我還沒有準備好。我們才約會三次。感覺對的時候我會知道。請你別太心急。』

達米安用鼻子輕觸她的耳朵。他說：『寶貝，別這樣嘛。妳知道妳也想要。我真的很喜歡妳。而且我覺得是時候了。我只是想更了解妳。以前從沒有人給我這樣的感覺。』

安莉卡還是挪開身體。她說：『不行，達米安……對不起……可是我不想。我也喜歡你，可是我還沒準備好。』

達米安一副垂頭喪氣的樣子。『我以爲……我以爲妳和我有同樣的感覺。』他說：『安莉卡，眞抱歉……原來是我自己自作多情，會錯意了……』他露出沮喪的表情，安莉卡不由自主的同情他。她再次強調：『達米安，別這樣，我是眞的很喜歡你。只是我需要再交往一段時間才能……』

達米安傷心的搖搖頭說：『不，妳一定不是那麼喜歡我。安莉卡，對不起，我眞的以爲我們是兩情相悅。我眞是……像個大傻瓜。對不起。忘了剛才發生的事情好嗎？』

他伸手握住鑰匙，扭轉點燃引擎。安莉卡覺得自己越來越沮喪。

『不是那樣的，達米安。』她說：『聽我說，我覺得你是個很可愛的人，我想和你多相處一段時間。』

達米安說：『可是，安莉卡，我眞的很喜歡妳，所以，身爲一個男人，我當然是想用具體的方式來讓妳知道。可是如果妳和我沒有同樣的感覺，那麼我想我們應該暫時別見面，免得我陷得太深……對不起，不過這就是我的感覺。我以前曾被傷害過……』

這天晚上，安莉卡還是和達米安發生關係了。兩人的戀情只再持續了兩個禮拜。

此例中，達米安是勒索人，受害人是安莉卡，勒索的要求就是性。他很清楚安莉卡的弱點，而且毫不留情的利用這個弱點。女人受不了情緒沮喪的男人，她們討厭看見男人這樣，因爲這會觸發她們母性本能，一心想幫助男人消除痛苦。她們習慣把男人視爲堅強、可靠的人，所以看到男人崩潰的樣子，女人會受到很大的震撼。雖然安莉卡已經表明自己的確在乎他，但是達米安還是很有技巧的指責安莉卡不在意他。安莉卡覺得，想要讓達米安了解，她眞的喜歡他的唯一方法，就是答應和他發生關係。

最後達米安使出撒手鐧，暗示如果她不答應，兩人就可能會分手。要是他明白說出來，安莉卡會堅持自己的立場，拒絕他的要求。可是他是用無法再受傷害爲由，因此她不再抗拒，讓自己屈服於情感勒索之下，做她原本不想做的事。從此之後，每次和達米安約會，他都會要求要和安莉卡做愛。

以這種操控手段開始的戀情，通常都不會有好結果。如果兩人一開始的關係就建立在操控對方上，那麼兩人怎麼能夠互相信任，互相尊重呢？情感勒索如果不立即解決，就會造成破壞。

常見的情感勒索伎倆

利用情感進行勒索的人也許是情人、丈夫或妻子、子女、岳母或婆婆、父母、朋友。有時候可能是老闆。這種勒索常在家庭中出現，所使用的伎倆也會一代一代的傳下去。

底下是幾個情感勒索常用的威脅或處罰的伎倆。有些也許你會覺得很眼熟。

父母：『我爲你做這麼多事。』

『我要把你從遺囑中刪除。』

『爲什麼你要這麼做？你是我的親骨肉耶！』

丈夫／妻子：『我不敢相信，你竟然這麼自私。』

『你不是眞的關心我。』

『如果你愛我，你就會去做。』

離婚的夫妻：『我會把你拖上法庭。你再也不能和小孩見面。』

『我要讓你一文不名。』

『我一直很討厭和你親熱。』

情人：『大家都是這樣的呀。你怪怪的喔？』

『相愛的人本來就應該這樣的。』

『顯然你不愛我。分手也許會比較好。』

子女：『別人家的爸媽都會爲他們的孩子做些事。可見他們愛他們的小孩，而你們根本就不愛我。』

『我要離家出走，我一定不是你們親生的。』

『你們只愛妹妹，不愛我。』

岳父母／公婆：『我會把所有財產捐給慈善機構。』

『如果你們不照顧我，我就會生病，最後死在醫院裡。』

『別擔心我，我老了，活不久了。』

朋友：『如果事情不是變成這樣，我就會幫你。』

『你口口聲聲說我是你最好的朋友。我看你另尋他人比較好。』

『你需要我的時候，我都在你身邊。而我需要你的時候，瞧你是怎麼對待我的。』

老闆：『你只是給你的同事添麻煩，害他們老是得替你收拾殘局。』

『我敢保證，你以後都別想升職了。』

『你對我和公司不夠忠心吧？』

屬下：『如果你開除我，你最好去請個大律師來幫你吧。』

『我敢說，媒體會很高興知道這些事。』

『你知道所謂的騷擾是怎樣的嗎？』

勒索人要表達的意思是：『如果不照我的話去做，你就等著受苦吧。』小孩很早就學會利用情感勒索來達到目的，特別是他們知道父母也會用這招的時候。由於年紀小，個頭也小，小孩常覺得自己很無力，因此勒索似乎是他們達成目的最簡單，也最有效的途徑。

實例探討：茱莉亞的故事

茱莉亞的子女長大了，他們越來越不願意去探望臥病在床的約翰舅舅。這讓茱莉亞感到很內疚。每次茱莉亞去探望他時，他都會問孩子去哪裡了。茱莉亞都得撒謊，告訴他，學校有活動，他們跟著去了，或是他們的功課很忙，不然就是有別的事情絆住他們，讓他們走不開。

她跟孩子們說：『聽我說，他年紀大了，我不知道他還能撐多久。他很寂寞，而且很渴望能見到你們。記得你們還小的時候，他替你們做的事嗎？他一直很照顧你們，也很寵愛你們。他不是有錢人，但是他總是會買東西給你們。』

可是茱莉亞的孩子卻是無動於衷，不然就是利用這一點來勒索茱莉亞。十五歲的伯納德說：『可是媽咪，他聽不到我們在說什麼，他幾乎快聾了。而且他家好無聊，沒什麼事情可以做。我和我的朋友也不常見面啊。所以我應該可以有些娛樂吧？妳不希望我不快樂對吧？』

十六歲的凱蒂同樣也是勒索高手。她說：『得了吧，媽咪，妳明白我們學校的功課有多重，妳也不希望我被當吧？今天早上我是很想和妳過去，可是我必須完成這份地理課的報告。這可關係到我的期末成績耶。如果我做不好，我就麻煩大了。更何況，妳不該利用我們的情感來勒索我們。那不公平。我們不想去。就這樣了。』

在操控別人上，孩子可以說是大師級的。想用情感來勒索子女的父母，最好要有心理準備，因為他們會反過來勒索你們。

上面的情節，茱莉亞覺得很無助，她試著從道義與情感著手，想藉此對孩子們施壓。她用情感來勒索他們，而不是冷靜，有理性的向他們分析，也不是命令他們照她覺得對的事去做。而她的孩子也用情感勒索，因爲他們明白這遊戲該怎麼玩。

利用情感勒索的大人，會發現，孩子比他們更擅長此道。

話說有一天，我們在倫敦街頭看一個街頭藝人表演。表演結束後，他走向一群看得入迷的孩子，他說：『嗨，小朋友！如果你們的爸媽不給你們一英鎊放進我的帽子，那就表示他們不愛你哦！』結果他拿到了十八英鎊。

接受情感勒索的次數越多，對日後感情的影響越大。關係越親近，罪惡感也會越重。而勒索最有用的工具，就是罪惡感。

實例探討：史蒂芬的遭遇

史蒂芬與卡蜜拉結婚五年了，現在雙方同意分居。呃……至少史蒂芬認爲是雙方同意。雖然卡蜜拉同意分居一陣子，但是她沒想到史蒂芬竟然眞的徹底執行。她以爲史蒂芬在外住幾個禮拜後，就會回到她身邊，求她讓他搬回來。

史蒂芬沒有回來。而且工作比以前更努力，工作時間也更長，整個人全投入工作中。

卡蜜拉私下想，他絕不可能一直保持這樣，沒多久他就會知道，沒有她在身邊，生活有多空虛。可是這時他遇到另一個女人。

卡蜜拉抓狂了。她定期打電話給史蒂芬的母親，藉此來了解史蒂芬的生活。她知道史蒂芬的母親把她當女兒般疼愛，兒子和媳婦分居讓她很難過。他母親談到史蒂芬認識一個女人後，卡蜜拉知道情形不妙。她從早到晚，不管任何時間，一直打電話給史蒂芬，告訴他，她犯了大錯，她想和他見面，兩人好好談談。

史蒂芬很不情願地答應了。見面時卡蜜拉表現得很風趣、迷人、熱情，和兩人初次約會時一樣。可是史蒂芬仍然沒有回去。他還是很喜歡卡蜜拉，但是他覺得對她已沒什麼感覺了。

他靜靜的聽她說話，聽她訴說她有多想念他，可是……史蒂芬跟她道歉，說遇到別人了，他希望卡蜜拉也能找到自己的幸福。

卡蜜拉沒聽進去。她還是不斷打電話給他，哭著求他見面。如果他有來，她就一把鼻涕一把眼淚的告訴他，她覺得沒有他的生活好難過。面對她的眼淚攻勢，史蒂芬覺得很無奈。他試著安慰她。後來她甚至威脅要自殺。

史蒂芬不知該怎麼辦。還好他的新女友，克莉絲，明白怎麼回事，就幫他處理這個狀況。她說服史蒂芬的母親打電話給卡蜜拉的家人，告訴他們，她很擔心卡蜜拉的心理狀況，問他們能不能照顧她。克莉絲教史蒂芬，寫封信給卡蜜拉，明明白白的告訴她，他很抱歉，可是他們兩人的關係結束了。他不會考慮回到她身邊的。

克莉絲和許多女性一樣，看出卡蜜拉使出情感勒索伎倆，她知道史蒂芬是受害人。克莉絲明白要盡快幫史蒂芬解決，免得他受困於這段他不想繼續的關係。如果克莉絲沒插手，他或許就回到卡蜜拉身邊，即使他不願意。卡蜜拉自殺的威脅，著實令他害怕，要是卡蜜拉眞的做了，他覺得他該負責。他不知道卡蜜拉是在利用他的情感進行勒索，目的只是要他回到她身邊，並不是眞的要自殺。

隔年，史蒂芬和克莉絲結婚了。卡蜜拉仍定期去探望史蒂芬的母親，一起聊兩人『美好的過去』。可是沒有人眞的很在意她。所有人都爲她難過，但也希望她能夠早日走出傷痛，過自己的日子。

內疚讓受害人承受巨大的心理壓力。沒有人想刻意傷害別人，但是貫徹自己的想法是很重要的。史蒂芬知道他不想再和卡蜜拉一起生活，也知道對於這件事，他不應該情緒化。男人不擅長處理自己的情緒，也不曉得怎麼處理女人的情緒。

男人喜歡直接討論、辯論哪支運動隊伍最棒，哪個政黨有對國家好的政見，還有哪種啤酒不會讓人宿醉。男人擅長處理事實、資料，以及具體的事情。碰到別人的情緒問題，尤其是女人的情緒，大多數男人會不知所措。女人清楚這一點，她們會爲了自己的利益，善加利用。不過男人也會爲了達到目的，利用感情進行威脅。如果他們的女人是多愁善感，文文靜靜類型的，通常會屈服於專橫的男人。

實例探討：艾琳的故事

艾琳是個個性相當好的女人，不僅冷靜，還富有同情心，總是先替別人著想。她很慷慨，是個樂天派，還很忠實。可是她眼中的自己全然不是那樣。爲了不引發爭執，她常答應別人的要求，不然就是放棄自己的意見。然而艾琳的老公鮑伯，卻很愛吃醋又愛指使人，總要別人照他的意思去做。

這天鮑伯說他想買一艘新船。他跟艾琳說，他那艘舊船跑得不夠快，也不夠大，雖然很好操縱，但是缺少他想要的科技設備。他找了好久，終於找到一艘符合他的要求，價錢也合理的船。

艾琳聽到他說的價錢，差點沒昏過去。她說：『我們負擔不起那個價錢。我們才剛付過孩子的學費，況且你答應過我，這個月底要讓我換掉我那輛破車的。』

鮑伯大怒。『妳又來了，妳都只想到妳自己。』他說：『妳只在乎妳自己。難道妳都沒想過，我也需要買東西嗎?我每天辛辛苦苦的工作，賺錢養家，每天活在壓力下，星期六的釣魚時間，是唯一能讓我放鬆的時候。』

接下來三天鮑伯沒讓艾琳好過。艾琳飽受折磨。最後她決定讓步。『鮑伯，我在想船的事，也許我可以買一輛小的二手車，這樣一年後你就有錢買新船了，還能減輕貸款的負擔。』

鮑伯不為所動。『不行。』他說：『明年船會更貴，更何況這個計畫好就好在要在這個夏天買。因為孩子可以滑水，可以增加我們相處的時間。而且放假的時候我們得找些事讓孩子做，免得他們到處惹麻煩。』

艾琳生氣了，她說：『鮑伯，我們現在根本就買不起。而且我們有許多必需品要買。』鮑伯聽不進去，他有點生氣的說：『艾琳，我實在不敢相信，妳關心我們的孩子吧？妳不是老是擔心他們跑去哪裡、擔心他們不知道在幹什麼嗎？我沒想到妳竟然會剝奪我們一家人聚在一起的時間。他們也需要這艘新船！』緊繃的氣氛持續兩天，艾琳覺得她受不了了。她知道鮑伯不會讓步，在這種緊繃狀況下，孩子也會越來越心煩。最後艾琳想出一個解決方法。她要回去找個全職的工作，這樣所有問題就迎刃而解了。

鮑伯得償所願，現在他想弄個碼頭，好讓他能停泊新船。他知道他可以弄到，因為他會故技重施。

艾琳和那些接到贖款通知的受害人一樣。罪犯勒索和情感勒索的本質是一模一樣的。

受害人：艾琳的弱點是她對家庭的責任感、對孩子的愛，以及維持家裡和諧的渴望。

勒索人：由於鮑伯和艾琳的關係密切，因此他清楚艾琳所有的秘密與感覺。

要求：艾琳答應買艘新船。

威脅：背負著丈夫健康惡化的內疚感；由於她的自私，讓孩子交到壞朋友；家裡的低氣壓瀰漫不散。

反抗：艾琳試圖跟鮑伯解釋，他的要求不合實際；艾琳還提出替代方法。

妥協：最後艾琳讓步了。

持續：鮑伯繼續使用這些勒索伎倆，想爲新船弄到一個停泊碼頭，因爲他知道這些伎倆會成功。

情感勒索會摧毀受害人的自我形象。如果他們持續屈服於勒索者的要求，到最後他們會失去自信，永遠無法說出自己的想法。自我懷疑、恐懼，和內疚感會一直折磨他們，這麼一來，勒索人會更加肆無忌憚的提出囂張的要求。

如何應付利用情感進行勒索的人

會利用感情勒索別人的人，通常是個性強硬堅定的人。雖然他們給人的印象，是下定決心要做什麼就會貫徹到底的人，但實際上這種人很少有眞正意志堅強的。

大部分的勒索人都是喜歡恫嚇別人的人，只有這樣而已。他們沒有自信，沒辦法和人討論他們的問題，尋找別種解決方法，而且害怕自己會失去現在已有的。他們總是指責受害人自私，不體貼，要不然就是指責受害人以自我爲中心。而這些特質，都是他們所擁有的。當父母親屈服於他們的怒氣時，就是爲情感勒索撒下種子。

切記，利用情感進行勒索的人就像無賴或淘氣的小孩，因此就要以對待無賴和小孩的方式來應付他們。

如果你覺得自己是情感勒索的受害人，你得決定要讓這種情形繼續下去，還是你想要有所改變。如果你縱容別人這麼對待你，他們自然不會改變對待你的態度。要糾正壞習慣需要有約束力及時間，所以你必須有長期抗戰的心理準備。

首先要記住，勒索人要求的事，是需要你同意的，不然他們也不會要你答應他們的要求。因此實際上，占上風的人是你。沒有你的支持，勒索人會覺得自己沒有依靠。唯一會讓你失去優勢的，是露出你的弱點。絕對不要想反過來勒索他們。面對勒索人的要求、威脅，以及指責時，你必須預先知道該怎麼反應。這不是可以臨場做到的，所以你得事先準備，反覆練習，要熟練到成爲你的自然反應才行。

可以反擊勒索的話：『哦，那是你自己的選擇啊。』、『嗯，你的想法和我的不一樣。』、『你選擇往那方面想，我也很遺憾。』、『你正在氣頭上，等你氣消了，我們再談吧。』、『我知道你不高興，但事情就是這樣。』、『我認爲需要再考慮。再說吧。』、『我們對事情有不同的看法。』、『也許你說得對。不過做決定之前，我們還是多想想吧。』、『我知道你很失望，不過這事沒有商量的餘地。』

拒絕軟化或妥協，有可能使勒索人沈默或生氣一段時間。這段時間是受害人最容易讓步的時候。問題最後還是得解決，不過必須等勒索人願意理性並用成熟的態度討論。

在勒索人沈默的期間，不要抱怨，否則勒索人就會知道你很挫折，而給了他們反擊的力量。只需說：『等你準備好了，我很願意和你好好談談。』

不要和勒索人爭辯，要教育他們。

雖然勒索人有無力、絕望的感覺，不過還是需要面子的，所以還是要盡量讚美他們其他的優點，以『安撫』他們。如果必須妥協，先設定好你的底線，然後堅守。如果勒索人讓你覺得不舒服，就不要再和他們繼續談下去。

茫然不知自己在做什麼的勒索人

有時候連勒索人都不知道自己在做什麼。南非新聞記者，查琳．史密斯寫了一本撼動人心的書，書中描寫的是她在家中遭人強暴的夜晚，以及如何激勵警方追捕犯人的經過。當時南非的強暴率在世界排名高居不下，每二十六秒就有一位婦女遭人強暴。

對少數人以及鄉下地區，強暴是個禁忌話題，而且女性受害者沒有勇氣站出來訴說所發生的事。

史密斯的書中提到這件事對她產生的後遺症，描述自己如何變堅強，如何成爲其他受到相同創傷女人的典範。有一次，一個女人打電話給她，跟她說自己的遭遇，可是她並不同情這個女人。強暴事件發生後，這位就讀大學的女人放棄了學業，不僅要求丈夫在別區買房子，對三個小孩也不聞不問，甚至不做家事。她的孩子得自力更生，房子沒人打掃清理，她丈夫的心情也遭透了，恨自己沒辦法幫她走出創傷。看了查琳的書後，查琳處理此事的態度令她吃驚。查琳毫不留情的指出，她是怎麼利用情感勒索來折磨她的家人，使他們和她一樣痛苦。

查琳在《以我爲榮》中寫道：『瑪麗沈溺在自哀自憐中，讓自己成爲強暴者的奴僕。她以不同的方式，模仿強暴者虐待人的行爲。強暴者對她的打擊是有形的，她施行在家人身上雖是無形，但傷害力卻遠遠更大。』

受害者會在無意間，把感情勒索的傷害轉嫁到家人和朋友身上。

這個女人也許沒發現，她在對家人進行情感勒索。在這種情況下，要成爲勒索者是相當容易的，特別是在她丈夫和孩子覺得沒有反對立場的時候。她的家人感到十分內疚，覺得她被人強暴是他們的錯。

如果那天晚上她丈夫在家，如果她的孩子沒有出門，也許這件事就不會發生吧。內疚是勒索人軍火庫中最有力的武器，具有癱瘓受害人的功用。

在這種情況下，受害人最好是找外人幫忙。比如說找這個女人的好友插手。也可以找個不錯的心理醫生。有時候需要找個不會讓勒索人遷怒的人，解開勒索人的情緒重擔，才能讓勒索人不再自哀自憐，免得最後走上自我毀滅之路。

無止盡的勒索

要是你一開始就接受勒索人的威脅，那麼這種不愉快的情形就會不斷出現，而且越來越難制止。到最後受害人的感情、心理都會被勒索人摧毀，甚至連財產都保不住。

要是勒索人以分手爲要脅，許多女人就乖乖棄械投降了。

長久未癒的傷痕，也可能來自父母的折磨。在鄉村中，聽話的長子或么兒最容易承受父母的龐大壓力，要他們接管家中的田地。但是他們對自己的未來也許有不同的規劃。他們或許想要外出旅行，想創業，學習怎麼做生意，或是上表演學校。如果他們屈服了，心裡想必不是太情願，說不定還會怨恨父母。

至於對女兒的情感勒索，形式和對兒子的不太一樣。我們常聽到有女人花一輩子的時間照顧年邁的父母，責任感讓她們忘了追求自己的幸福，看到年老虛弱的母親或父親，令她們不忍離開，過自己想過的生活，因爲那會讓她們有罪惡感。

無論什麼情況，情感勒索都會讓人不愉快，而且是下流的伎倆。只要當過一次受害人，你就被困在這個陷井裡，永遠無法掙脫，而且你的生活會變得不快樂、沒有愛，不僅無法享受生活，心理上還得背負著罪惡感。

c h a p t e r **4**

女人的秘密評分法

男人的一週是怎麼被毀的？

小心，女人不只是評分，

還有連續累計十年分數的超級算術能力！

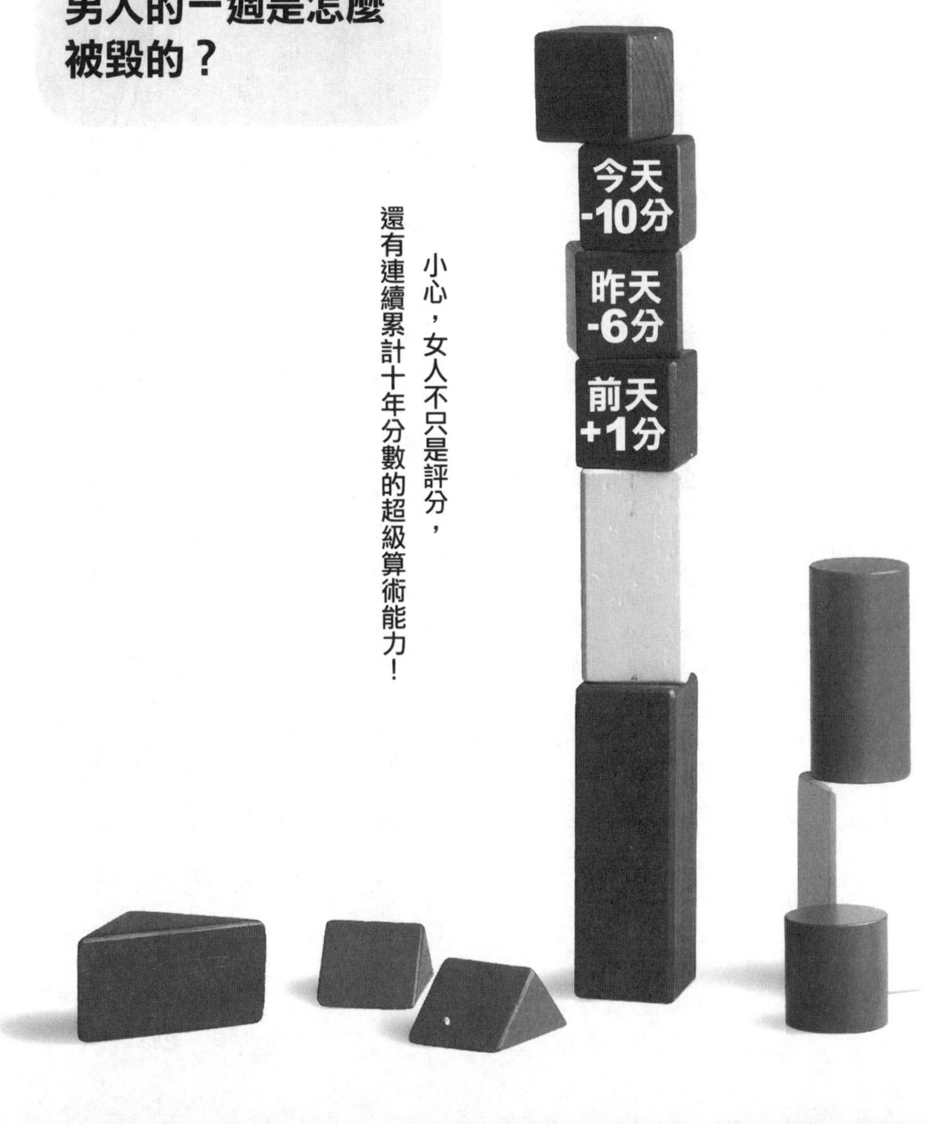

在別人眼裡，馬克和凱莉過著完美的生活。馬克有個好工作，他們有間漂亮的房子，三個小孩都過得很快樂，身心發展也都很平衡，一家人每年至少會出國度假一次。

私底下，這家人的關係其實是有問題的。為什麼會經常吵架？他們又不是不愛彼此，這讓他們覺得很困惑、沮喪、絕望。凱莉似乎每天都在生氣，馬克不知道她為什麼會這樣，他不明白發生了什麼事。答案就是：馬克和大多數男人一樣，完全不知道凱莉用特別的女性評分方法來評估他們的婚姻。

一天晚上，兩人提到嘗試分居的話題，後來兩人都同意找婚姻諮詢。對於找婚姻諮詢的事，凱莉顯得很高興。馬克雖然同意，可是在他心裡，他認為他們的問題應該要靠自己解決。底下是他們跟婚姻諮詢師說的話：

凱莉：『馬克是個工作狂。他忘了還有我跟孩子，從沒為我們做過一件事。好像我們不存在似的。總是工作、工作、工作，在他的工作清單上，我們是擺在最後面的。我厭倦同時扮演父親和母親的角色了。我想要一個需要我、會照顧我的男人，而且用不著我唸，他就會參與家人的活動。』

馬克：（大吃一驚）『我實在不敢相信妳會這麼說，凱莉……我沒照顧妳和孩子？妳是什麼意思？看看我們那棟漂亮的房子，還有妳身上穿的衣服，戴的珠寶，孩子上的好學校……這都是我給妳和孩子的！沒錯，我的確花很多時間在工作，但若不這樣，我們怎能過這樣的生活？怎能買那些好東西？我每個禮拜工作得半死，妳卻一點也不感激！妳就只會唸……』

凱莉：（生氣了）『馬克，你聽不懂是不是？我不認為你有聽懂過！我為你做那麼多事……煮飯、洗衣服、打掃家裡、安排我們的社交生活，還要確定我們的家人都有被照顧到……而你就只有工作就好。上次你替我清洗碗機是什麼時候？你知道該怎麼洗衣服嗎？告訴我，上次帶我出去吃飯是什麼時候？上次說愛我又是什麼時候？……』

馬克：（被嚇到）『凱莉……妳明知道我愛妳……』

男人完全不知道，女人會根據伴侶的整體表現來打分數。而這個評分方法顯然對男人有很大的影響，常常令他們被女人叮得滿頭包，卻又不知道自己犯了什麼錯。這個分數隨時直接影響到男人的生活品質。女人不只評分而已，還有一個計分表！男人和女人決定要共同生活後，並不會討論未來兩人要對彼此有怎樣的貢獻。雙方都認為對方會像現在一樣，做同樣的事，不然就是像他們的父母一樣，或者，至少會符合男人除草，女人煮飯的典型。

男人只看到大概

男人習慣站得遠遠的，瞧個『大概』後，就去做他認為重要的事，而不是讓一連串瑣碎、不重要的小事拖進去。比如，男人不會常常送禮物給他的伴侶，可是當他送的時候，一定是送大禮。然而女人的大腦構造會讓她們注意到兩人互動的細節，她也會決定兩人相處時的許多瑣碎事情。對於伴侶所做的每件事，女人都會給個一分，而且不管事情大小？而對愛意的表達，則是給個兩分或是更高的分數。

例如，如果男人爲他的伴侶買一朵玫瑰，她會給他一分。如果他買的是一束六朵的玫瑰，他還是只得一分。可是，如果他是每個禮拜送她一朵玫瑰，連續送六個禮拜，那麼他就能得到六分。一朵玫瑰代表的意思她很清楚，但是一束玫瑰可以是裝飾家的暗示。定期的禮物，表示在他心中，她永遠是最重要的。

同樣的，如果男人會粉刷房子，他能得一分。如果他會收拾自己的髒衣服，並告訴她，他愛她，他可以各得一分。換句話說，評分的標準是根據男人做了幾件事，而不是根據事情的大小、品質，或是結果。如果男人買了她想要的車子或是鑽戒，當時他鐵定能得到額外的分數。但是決定分數的，有百分之九十五，是看男人每天做或是沒做哪些事而定。女人最在乎的就是心意。

每個舉動或每件禮物，女人會給一分，
不管這個舉動是否重要，也不管禮物的大小。
如果男人也有評分方法的話，他們會依據舉動重要性與禮物大小給分。

男人完全不知道女人是怎麼評分的，因爲和伴侶相處時，他們只會盡自己的本分，不會想到要記下分數。然而這對女人來說，卻是一種下意識的行爲，不是有意的，而且每個女人都知道該怎麼做，因爲那是她們的直覺。這點差異因而造成男人與女人之間的種種誤會。女人是很棒的計分員，不僅如此，還能正確無誤地記住幾年來，自己所評的分數。她們持續爲男人奉獻，因爲她們心想，這分數總有一天會與她們的付出打平。她們默默地認爲，她們的伴侶遲早有一天會感謝她們，並且以支持她們做爲回報。

女人永遠不會忘記自己打的分數。

至於這分數何時會落差太大，男人是一點概念也沒有。女人可能等分數差距拉到三十比一才開始抱怨。接著她會開始指責男人從沒爲她做過一件事，她的指責讓男人驚訝、心煩。他根本不知道出了什麼問題。因爲就算男人也有評分方法，他們的做法也不會像女人，讓事情演變到這個地步。他們一察覺到分數差距變成三比一時，他們就會開始抱怨自己付出太多，想要得到公平一點的對待。

假如男人會評分，他們認爲做重要的事，分數就高，送禮送大禮，分數也會高。在他們心裡，一個禮拜工作五天，少說也能得三十分，但女人不這麼想，以她們的想法那只能給五分，每天一分。而且如同許多女人都知道的，男人總是覺得東西的大小是越大越好。

在女人心裡，大小並不重要，重要的是次數頻率。

我們和布萊恩、羅琳做的實驗

布萊恩是位財務顧問，他的時間都花在見客戶、爲事業打拚上。他的妻子羅琳是位家庭主婦，負責照顧兩個孩子以及處理家務。

他們自認爲是一對幸福美滿的平凡夫妻。我們請他們每天寫一張記分卡，爲自己對家人的貢獻打分數，而這分數，是他們假設對方會給自己的分數。

瑣碎的小事至少有一分，而重要的事情，最高可以給三十分。

要是對方做了讓你生氣的事，可以扣分。

兩人不得討論要怎麼打分數，也不能告訴對方自己在何時會打分數，以及會給幾分，列入評分的行爲也不能讓對方知道。

底下擷取這三十天評分結果的一部分。

你會注意到，在扣分方面，兩人記下的不多。我們猜想，形成這種情形的理由有兩個：一是長期住在一起的夫妻，習慣忽視對方的壞習慣；另一個就是共同做這種實驗的夫妻，通常會盡量表現出自己最好的一面。

布萊恩的記分結果

布萊恩的行為	自己的評分	妻子的評分
一星期工作五天	30	5
探望岳母	5	1
幫孩子拼模型飛機	5	1
替朋友烤肉	3	1
深夜起來調查噪音出自哪裡	1	2
替車子加滿油	2	1
清理排水管的葉子	3	1
帶全家去必勝客用餐	2	1
洗車	2	1
加班一天	5	1
調和游泳池的ＰＨ值	2	1
帶孩子去看足球賽	3	2
閱讀《電腦新知》雜誌	1	0
丟掉花園裡的老鼠屍體	2	1
替車庫上油漆	2	1
種灌木	2	1
週末開車帶一家人兜風	3	1
黏好妻子壞掉的鞋子	3	1
買花／巧克力和葡萄酒	10	3
漆牆壁	2	1
倒垃圾	1	1
調整門把	1	1
告訴妻子，她很漂亮	1	3
除草	3	1
修理孩子的腳踏車	2	1
改裝立體喇叭	4	1

布萊恩的清單沒有，但羅琳清單上有的項目

天冷的時候，把他的外套披在我身上	3
下雨天會把我載到前門才讓我下車	2
替我開車門	2
我上車前先暖車	2
磨利雕刻刀	1
把媽媽的電話輸入快速撥號裡	1
幫我開緊密的罐頭	1
說我煮的菜好吃	3

能替布萊恩爭取分數的事

收拾他自己的濕毛巾	1
削蔬菜的皮	1
哄孩子早點睡	2
靜靜聽我說話，不要打斷我，告訴我該怎麼辦	6
必須較晚回家時，先打電話告訴我	3
安排只有我們兩個人共度的週末	10
自動自發的說要清理廚房	2
打電話跟我說『我愛妳』	3
鋪床	1
親熱前先刮鬍子	1
幫我按摩頭和腳	3
吻我	1
不用摸索就能準確的吻到我	3
不要拿著遙控器一直轉台	2
在公開場合能跟我牽手	3
讓我覺得我比孩子重要	3
陪我逛街	5
送我一張浪漫的卡片	4
和我在廚房裡跳舞	2
我講話時有專心聽	3
把髒衣服丟進洗衣機裡	1
告訴我他想我	3

以上清單說明了好幾件事：首先，由於男人的大腦是朝處理空間的方向發展，因此和女人相較之下，他們的分數多半偏重在具體且有空間性質的事情上。比如說，在幫兒子拼模型飛機這件事上，布萊恩給自己五分，可是羅琳認爲這只值一分。布萊恩認爲這件事有困難度，而且需要技巧，所以他爲自己完成的工作感到自豪，但是對羅琳而言，那只是在玩玩具。對男人做的每件家事，女人只會給一分，不過對於瑣碎、私人，或是親密的舉動，給的分數通常高過男人做的大事。例如，布萊恩誇獎羅琳煮的菜好吃，她就給了三分，可是這件事並不在布萊恩的記分表上。事實上，他根本不記得自己說過，所以才沒寫在自己的表單上。不是說他忘記了，而是他壓根沒想到，誇讚女人的廚藝也能得分。

他送妻子花、巧克力和香檳時，心裡想這樣他至少可以拿到十分，這可佔他工作五天分數的三分之一耶，他會給自己這麼高的分數，是因爲這些禮物很貴，但是羅琳只給他四分。不過微不足道的小動作卻爲他贏得不錯的分數，像『天冷的時候，把他的外套披在我身上』，他也完全沒想到這會爲他拿到分數。他只是想要『照顧她』。

『今晚我們何不互換一下角色？』他問。

『好主意！』她回答，『你就待在廚房水槽前，我呢，就坐在沙發上放屁。』

布萊恩以爲他工作時間越長，得到的分數也會越高，但是工作時間加長，相對的，他就不太有時間在家裡做些瑣碎小事，因此他喪失了一些分數。他以爲自己多賺了錢，能讓家人過更好的生活，妻子應該會褒獎他。事實正好相反，她反而認爲他愛工作更勝於愛她。在他的想法，加班値得五分，可是羅琳只給一分。要是在上班的時候，他能打電話告訴羅琳，他愛她，而且很想她，然後在進家門之前，再打一次電話給她，這樣至少能得到三分。布萊恩和其他男人一樣，不明白這種瑣碎的事情對女人來說很重要，儘管他常聽到母親和祖母提起這些事。

整個月下來，羅琳給自己的評分

羅琳給自己評分的記分表，比布萊恩的足足長了四倍。她鉅細靡遺的記下每件事，可是分數大多不高。掃地、買生活日常用品、澆花、上銀行、照顧寵物、付帳單、寄生日卡、安排家人的事、幫孩子洗澡、讀故事給孩子聽、訓斥孩子，這些都是一分。重複性的工作，像收拾地上的衣服或濕毛巾、洗衣服、煮飯或鋪床，這些每做一次她就給一分。布萊恩從沒看過羅琳每天做哪些事，因爲他大部分的時間都在工作，因此他爲羅琳的付出打的是總分，三十分，和他每星期工作五十小時的分數一樣。某天晚上，羅琳幫他抓背，這件事他給她三分，而她有兩次主動求愛，這兩次她各得了十分。

扣分

只要雙方有一人的行爲令另一人失望或生氣，就可以扣分。

布萊恩遭扣分的事

在朋友面前說我不對	-6
和朋友用餐時放屁	-10
在購物中心時，色瞇瞇的盯著別的女人	-5
我沒性趣時硬要	-6

羅琳遭扣分的事

我看電視時在旁邊碎碎唸	-2
拒絕我的求歡	-6
嘮叨	-5
一口氣說了一堆事	-3

『我才不是嘮叨。我只是不斷的提醒他，要不然他根本不會去做該做的事。』

布萊恩的抱怨，大多在於羅琳對他做了什麼，或是沒爲他做什麼；而羅琳的不滿，則集中在布萊恩在公共場合的行爲。這些記分表也顯示了，當男人性致來了，但女人性趣缺缺時，兩人都會不滿對方。

『色瞇瞇？妳是什麼意思？』布萊恩抗議。『是她剛好擋在我眼前好不好！』

實驗結束後，布萊恩爲自己打的平均分數是六十二分。他給羅琳的分數，是平均每星期六十分，他覺得很高興，因爲這兩個分數滿均衡的。羅琳給自己打七十八分，可是給布萊恩的分數，平均是每星期四十八分。

羅琳和布萊恩的反應

羅琳覺得自己每個禮拜都比布萊恩多付出三十分。這表示過去一年來，她心中一直壓抑著不滿。布萊恩對上面的結果感到難以置信。他一直以爲兩人的感情毫無問題，完全不知道羅琳有這麼多的感覺，因爲她從沒說過。他只覺得自從去年老么出生後，他和羅琳就有些疏離，但他以爲只是羅琳要忙的事情太多，壓力太大罷了。爲了讓她輕鬆一點，他晚上開始加班，想給她一些空間，同時也能多給她一些家用。

對布萊恩和羅琳而言，這個實驗讓他們大開眼界。一開始只看是個有趣的小試驗，但做完之後，卻讓他們了解到男女在評分上的差異，並及時阻止潛藏的危機爆發。待在家中的羅琳覺得自己被騙了，滿腹牢騷，而布萊恩還呆呆的加班，以爲這就是她要的。

給女性的建議

男性大腦的構造，讓他們習慣從大處著手，所以他們以爲做他們心中重要的事，得到的分數就會比較多，這一點女性朋友必須接受。這麼一來，即使他因此得高分，女人也不會有怨言。她們也該鼓勵男人做些瑣事來討她們歡心，當男人做到時不要忘了給些獎賞。

天下的男人都一樣。只有長相不同，這樣你才能分辨他們。——瑪麗蓮・夢露

除非有人問他，不然以男人的基本設計，是不會主動幫忙、提供支持，或是給予忠告的，因爲從男人的觀點來看，那是把別人當做是無能的人。男人的世界就是這樣，他們等著妳開口問。如果妳不開口，他們會假定兩方的分數是相同，所以兩人的感情一定是不錯的。男人的記性可沒女人好。他們會忘記上個禮拜爲妳做過哪些得到妳肯定的事，同時也忘了妳爲他們做過哪些讓他們高興的事。女人是永遠不會忘記的。不要以爲男人會了解女人的評分方法，因爲他們自己、父親、兄弟、兒子都不知道女人有這個概念。男人做的許多事情並不會出現在他們的清單中，因爲他們做這些事時，並不曉得這些是有分數的。

給男人的建議

女人不只是記下分數而已，她們還會記在心裡，而且是累加，永遠不會忘記。今天她拒絕你的求歡，可能是因爲兩個月前，你對她母親大吼大叫。就算女人覺得男人的總分較

高，她也不會提起。不過如果是不及格的分數，她就會變得冷漠、生氣，你的愛情生活將會走下坡。這種情形發生時，男人必須問她，她想要他怎麼做。記住一件事，除了表達情感的小動作以外，不管男人做了什麼事，女人都只會給一分。送花、讚美她的外貌、幫忙洗碗盤、用口腔清新劑，這些都會有加分的效果，有時候加的分數還比帶薪水回家或油漆房子還多。不過這不表示男人不需要努力工作。但是，假如他有留意到自己的伴侶有多在意這些事，並且盡力去做這些瑣事，那麼他的生活品質將會大幅改善。

現在開始測試

現在就來像布萊恩和羅琳那樣，把近十年來，你們為對方做的事寫下來，並打分數。評估結果，然後把結果當做指標，以此來增進你們的感情，你們絕對意想不到自己會變得多快樂。雙方的分數相差不超過百分之十五時，表示在兩人的關係中，沒有人覺得自己被利用了，也沒有人心中積壓著怨恨。如果分數相差在百分之十五到三十之間，表示兩人有誤會，讓關係變得緊張；要是超過百分之三十，那就表示有人不快樂。

分數不及格的人必須調整自己的作法，看伴侶希望他們做哪些事，盡量拉近兩人分數的差距，這樣才能舒緩緊繃的關係。

摘要

欲拿到更高的分數，你對這段關係所需付出的努力，其實並不會比現在更多。只要明白別人衡量事情的標準，然後改變自己的方法就行了。異性使用的評分方法不會比你的好，但也不會比你的糟，因爲沒有好壞之分，只是不同而已。女人一直都了解這一點，可是除非有人告訴男人，不然很多男人並不知道。我們要布萊恩和羅琳參與實驗時，羅琳知道我們要的是什麼。而布萊恩的反應是：『哦？記分？那是什麼？』

男人和女人吵架時，女人最常用的一句是：『我爲你付出這麼多！而你咧，懶個半死，沒幫我做過半件事！』

偶爾可以來個評分測試，看看你們的關係發展得如何，也能檢視兩人的分數接不接近。負擔不重的夫妻，他們的評分方法會和有抵押貸款、三個孩子、一隻狗的夫妻不一樣。最後是一位男性讀者寄給我們的記分表，底下的例子顯示出，在日常生活中，女人是怎麼在你的愛情分數表上打分數的。

親愛的芭芭拉、亞倫：

這個測試徹底改變了我和女友的關係。三年來，我們的相處從沒如此融洽過，所以我想和大家分享，女人是怎麼評分的。

感謝你們。

快樂的傑克

家裡每天要做的事

倒垃圾	
早上四點半垃圾車走了才拿垃圾出去	-1
每次用完盤子會放進洗碗機裡	+1
碗盤丟在水槽裡	-1
把東西塞在床底下	-3
上完廁所忘了放下馬桶座蓋	-1
半夜上完廁所忘了放下馬桶座蓋（而且她懷孕了）	-10
尿在馬桶座蓋上	-5
尿尿沒尿在馬桶裡	-7
廁所沒衛生紙時會主動拿一捲新的進去	0
沒衛生紙時，你拿面紙代替	-1
面紙用完了，你蹣跚的走到另一間廁所，還沒拉上褲子	-2
上完廁所忘了讓廁所通風	-1
鋪床	+1
有鋪床但忘了放上裝飾抱枕	0
把床單丟在弄皺的被單上	-1
在床上放屁	-5
檢查並確定車子的油夠她使用	+1
車子的油不夠撐到加油站	-1
半夜去查看怪聲來源，後來發現沒事	+1
半夜去查看怪聲來源，發現某個可疑分子	+3
你拿球棒擺平了他	+10
結果是她爸爸	-10

社交活動

參加派對時，你沒離開過她身邊	+5
你只陪她一會兒，就去和老同學聊天	-2
叫別的女人的名字	-9
交際時，你握住她的手，深情款款的凝視她	+4
交際時，向別人介紹她是『我家的母老虎』，還拍她的屁股	-5

禮物

該送花的時候你才送花	0
該送花的時候沒送花	-10
在她沒料到的時候送花，給她一個驚喜	+5
親手摘一把野花送她	+10
結果害她聞花時被非洲采采蠅叮到	-25

開車

旅行時搞錯方向	-4
不只搞錯方向，還迷路了	-10
不只迷路了，還跑到城裡最糟糕的地方	-15
和當地人槓上了	-25
她發現，你說自己是黑帶高手是謊話	-60

c h a p t e r **5**

揭開男人七大謎

為什麼要男人許下承諾，這麼難？

自從《爲什麼男人不聽、女人不看地圖?》大受歡迎之後，大量的信件和電子郵件如雪片般飛來，很多女人寫信和電子郵件給我們，她們都想問兩性之間有哪些不同，想得到更多的訊息。底下是七個她們最常提出的問題：

一、爲什麼男人不太了解他們朋友的生活細節?

二、爲什麼男人不願許下承諾?

三、爲什麼男人需要覺得自己每件事都是對的?

四、爲什麼成年男子對『男孩』的玩具那麼有興趣?

五、爲什麼男人一次只能做一件事情?

六、爲什麼男人對運動那麼著迷?

七、男人在洗手間時到底會聊些什麼話題?

女人的問題在於她們想要以女性的立場，去分析男人的行爲。結果男人的行爲就變得很難理解。但是事實上，男人並非沒有邏輯可循，他們只是運作方式和女人不一樣罷了。

一、為什麼男人不太了解他們朋友的生活細節?

朱利安一年沒見到羅夫了，因此兩人決定一起去打高爾夫一整天。晚上朱利安回到家後，他的妻子漢娜急著想聽他知道哪些事情：

漢娜：『今天過得如何?』

朱利安：『不錯呀。』

漢娜：『羅夫好嗎？』

朱利安：『不錯呀。』

漢娜：『他老婆上星期才出院，現在狀況好嗎？』

朱利安：『我不知道，他沒說。』

漢娜：『他沒說？是你沒問他吧？』

朱利安：『嗯，沒有，如果有問題，我想他會告訴我。』

漢娜：『那麼……他們的女兒和新老公處得好嗎？』

朱利安：『呃……他沒說……』

漢娜：『羅夫的媽媽還在做化療嗎？』

朱利安：『呃……我不知道……』

諸如此類。朱利安知道他們每人各打幾桿，記得沙坑中碰到的麻煩，他差點一桿進洞，還有修女和橡膠雞的笑話，但是他完全不知道羅夫的妻子、孩子、家人的狀況如何。他知道羅夫爲了蓋房子而和地方委員會有爭論，知道羅夫想買什麼樣的車子，還知道他上次出國是爲了談一筆生意。但是他一點都不曉得羅夫的小女兒現在住在曼谷，不知道羅夫的哥哥患了帕金森症，也不知道羅夫的妻子被社區推薦爲榮譽市民。不過他倒是從羅夫那裡得到一堆好笑的笑話。

男人會記得他的朋友告訴他的每一個笑話，

但是不會發現朋友和老婆離婚了。

如果男人下班後和朋友去喝酒，幾個男人廝混了幾個小時，回家後總是會令女人訝異，因爲他對朋友的私人生活一無所知。這是因爲男人把這些活動當做是一種發呆的形式。他們可以好幾小時一起釣魚、打高爾夫、打牌，或是看足球賽，但是都沒有交談。男人交談的時候都是談很實際的事，像是結果、解決方法，或是回答問題，不然就是交換意見。不過他們很少談論個人的事以及情緒。男人的大腦大多用在處理『要點』上，一般不會注意到感覺或情緒方面的事。

關於男人爲什麼在下班後會去酒吧的原因，里茲大學做了一番深入的研究：

男人去『喝一杯』的原因

爲了酒精　9.5%

爲了遇到女人　5.5%

爲了減輕壓力　85%

男人放鬆的方式是放空腦袋，什麼也不想。所以男人去喝一杯就叫做『安靜酒』，不想說話的話，就不必說話。

如果男人和朋友一起但沒有說話，這不表示他們吵架了；他只是在發呆而已。

男人不會期望別人說很多話，也從不堅持一定要談話。如果有人手拿著酒發呆，基於本能，其他男人都能了解他在做什麼，所以不會去打擾他。他們絕不會逼他說話。沒有人會說：『嘿，說說你今天……你遇見哪些人，他們喜歡什麼？』男人交談的時候，是談工作、運動、車子，和一些與空間相關的事情。他們會一個一個輪流講，因爲他們的大腦構造讓他們無法兼顧聽和說。不像女人，他們沒辦法在聽人說話的同時自己也說話。

解決辦法

男人無法理解爲什麼女人想要知道親朋好友的生活細節，因爲如果他的朋友想讓他知道，自然會告訴他。這並不表示男人不關心他的朋友，他只是想知道大概和結果就好。男人告訴別人他的私事細節時，是他遇上自己無法解決難題，需要朋友忠告的時候。

所以如果想知道親人或朋友的健康情形、工作情況、交往狀態，或是他們的行蹤，千萬別以爲男人會知道答案，要問就要問女人。男人和別人聚會，是談論結果和解決方法，以及紓解壓力。他們很少會問私人的事情。

二、為什麼男人不願許下承諾？

承諾：【動詞，女性】想要結婚、成家的渴望；【動詞，男性】和妻子或女友外出時，別再妄想和別的女人攀談。

實例探討：喬夫和莎莉

裘蒂認為喬夫和莎莉應該很適合交往，因此她為兩人安排了盲目約會。

那一晚，喬夫和莎莉相談甚歡，約會完後，兩人互留電話，打算下次再見面。隔天，莎莉打電話給裘蒂，謝謝她介紹他們兩人認識，她眞的很喜歡喬夫，想要多認識他一點。這天晚上，喬夫也打電話給裘蒂，也和莎莉的說法相同。

喬夫一掛上電話，裘蒂馬上打電話給莎莉，跟她說喬夫說的每一句話。這表示為了更了解喬夫並開始交往，莎莉該開始行動了，因此隔週她便邀請喬夫去海邊玩，然後共進晚餐。喬夫很高興的答應了。接下來三週，每個週末兩人都在一起，每星期有一、兩天晚上會一起去看電影。對莎莉而言，兩人正在交往。現在除了喬夫，她不再和別人約會，雖然他們並沒有談論到這方面的事情。

喬夫的想法

一個月過去了，喬夫一點也沒察覺到自己正在和人交往中，因為沒有人告訴他。男人的大腦就是如此運作的。他並不了解女人對交往的觀念。

喬夫決定帶瑪麗參加死黨的生日派對。瑪麗每次都是聚會中的靈魂人物，因為她眞的很風趣，而且他有一個月沒和她見面了。他們在派對裡玩得很開心，然後喬夫看到裘蒂了。他馬上過去和她打招呼，並介紹他身邊的瑪麗。裘蒂對他們兩人很冷淡，喬夫感覺到她不喜歡瑪麗。他很困惑，因為瑪麗是個風趣的人，每個人都喜歡她。不過他也沒再多想下去。

裘蒂的想法

喬夫的女伴竟然不是莎莉，裘蒂感到很震驚。而且他帶的居然是個叫瑪麗的長舌婆。裘蒂知道，與其讓莎莉從別人的八卦中得知這件事，不如自己先告訴她，而她一點也不喜歡這個任務。況且她知道結果一定很慘。果不其然，莎莉知道這件事後，哭得很悽慘，她以為她和喬夫交往得很順利。莎莉打電話給喬夫，要他當晚來看她。他感覺到事情不太對勁，但是不曉得是為什麼。

結局

喬夫滿懷能見到莎莉的期待，來到她的住處，期望她有準備他愛吃的菜。然而她開門時，他看到她有哭過，而且在生他的氣。『你怎麼能這麼對我？』她哭著說：『……還當著我們朋友的面！你和她見過幾次面了？你愛她嗎？有和她上床了嗎？說！』喬夫不敢相信他所聽到的。他啞口無言。

他在莎莉家待了三小時，試著解決莎莉的問題，不管是怎樣的問題。他跟莎莉解釋，他不知道他們已經是一對了，他一直以爲莎莉還有跟別人約會，不只是他。這是他們第一次坦白的談論自己的感覺與感情，兩人都了解到自己是搞錯方向了。

莎莉想要喬夫的承諾。可是喬夫還沒準備好。他想要保有目前的自由。最後兩人決定，還是當朋友就好，不要當情人……呃，這是莎莉決定的。喬夫以爲她可能是因爲經前症候群的影響，到了週末就沒事了。

男人對於某個球隊的熱愛與忠誠，足以媲美宗教狂熱分子，但是在感情方面，他們卻不會投注同等的熱情，這讓女人感到困惑。對於自己所愛的女人，男人常常會抑制自己的情感，但是看到自己喜愛的球隊上場時，卻又毫不掩飾他的情緒與熱情，而這種情形在球隊輸了比賽時更爲明顯。爲什麼他能夠對一群粗壯、不是異常聰明、運動生涯短暫的運動員如此忠誠，他一輩子都不可能認識他們，而他們也不在乎他，爲什麼對女人，他就不會有同樣的熱情與忠誠？

自有人類以來，爲了生存，是實行一夫多妻制。男性的數量不多，因爲打獵或戰鬥都會折損男性的人數，因此倖存者便把寡婦據爲己有，在當時這是很合理的。這也給男性一個傳宗接代的好機會。從物種生存的觀點來看，一個男人擁有十或二十個妻子是合理的，但是一個女人有十或二十個丈夫就不合理了，因爲她一次只能懷一個孩子。動物中，一夫一妻制的只佔百分之三，比如狐狸和鵝是一夫一妻。這類動物很難分清楚公母，公的和母的體型大小一樣，顏色也差不多，通常很難分得出來。至於其他雄性動物，包括人類在內，都不是一夫一妻制的。所以男人才會一直避免對一個女人許下承諾，這也是男人很難專心對待一個女人的原因。不過人類還是和其他動物不一樣的，我們的大腦比較發達，而且演化出較大的額葉，這讓我們可以選擇想做什麼事，不想做什麼事，因此，當偷腥的男人辯稱他情不自禁時，這個理由並不夠充分；他們是可以選擇的。而遵守自己的承諾，至少遵守到小孩能夠自力更生爲止，則是女人與生俱來的一種信念。

如果妳想找一個會許下承諾的男人，那到精神病院找找吧。

——梅．魏斯特，美國女演員

對女人而言，如果女人和一個男人『約會幾次』，而且兩人都沒有和別人約會，這就表示他們在交往。可是對大多數男人（如喬夫）而言，可不是這樣。當莎莉哭著問：『他到底在想什麼？』時，答案會是：他什麼也沒想。

大多數男人在想什麼

一群男人拿他們的朋友在開玩笑，說他結婚是表示這個倒楣男人的生活完蛋了。『一旦你說出承諾，你就變成她的人啦。』這群男人大笑，『你隨時準備放棄你一半的房子，和百分之九十的性生活吧！』他們輕聲的笑著。接著就是警告，通常來自一個單身漢：『你現在打噴嚏都需要經過同意才行，不然她會給你上手銬。』在新郎房裡一個常見的玩笑，就是由伴郎在新郎鞋底寫上『救命』。男人覺得女人會奪走他們的自由，讓他們變軟弱無助，這時他們就會避免對女人說出承諾。對於這些嘲笑，男人的反應通常是不跟女人提到承諾，或是做與女人的期待全然相反的事。

許多男人認爲，許下承諾等於失去自由。然而很難想出他們所說的自由是指什麼。如果要他們說明所謂的自由是什麼，他們會說是不想讓人限制行動，愛來就來，想走就走；還有就是不想說話的時候，可以不說話；再來就是不用解釋自己的行爲，也用不著爲自己的行爲辯護；還有一點就是，可以想要有幾個女人，就能有幾個女人。可是，他們又想要有人愛，想要有人照顧，還想要大量的性。簡言之，他們全部都想要，可是現代男人有幾個敢說自己擁有全部？到最後反而是一無所有。那種生活方式，只存在於古代的阿拉伯後宮，或是某些原始文化社會中，現代男人很少有機會能擁有那樣的生活條件。

想要有完全的自由，唯一方法就是住在沒有任何規則的孤島上。談戀愛就像是拿駕駛執照，想要開車上路，就必須學習交通規則，並且遵守交通規則，否則永遠只有用雙腳走路了。談戀愛的規則其實很簡單，說穿了不過是協調而已。你想要得到愛、友誼、性，想要有人照顧，就得要有回報，你不可能坐享其成，淨得所有的利益。女人想要的回報很簡單，就是愛、專情與忠誠而已。她們從來就沒想過要奪走男人的自由。

解決辦法

喬夫從沒想過要有個穩定戀情。當女人察覺到男人害怕許下承諾時，她就得挑明的說，他正在和她交往中。比如說，她可以說他們在交往了，幫他沖杯咖啡是多快樂的事；或者是，在歡愛過後，醒來發現身邊有他是多棒的事，畢竟兩人是一對戀人了。她必須清楚明白的表達，不要期望男人懂得女人的暗示，像喬夫就沒有聽懂。這不只是因爲男人不會讀心，大多數男人對女人的心思並不敏感，畢竟男人的任務是追捕獵物，以及和敵人戰鬥，他並不需要了解他們的情緒。

所以在沒和對方談過之前，千萬別以爲自己在談戀愛。男人不會讀心，因此，女人要主動問男人對她的感覺，還有問他對兩人的關係，他有什麼打算。男人是有話直說的，對他們而言，這是一種尊重。所以想要得到男人的承諾，最好直接要求，不要只會暗自期待。然而凡事也總有個限度，總不能等到最後，女人才不得不說：『我們的兩個孩子快放學了，能麻煩你去接他們嗎？畢竟現在我們正在交往耶！』這樣的感情豈不悲哀？

三、為什麼男人需要覺得自己每件事都是對的？

欲了解現代男人的特點，必須先了解他們的成長過程。他們從小受的教導是，男孩子要堅強，絕對不能哭，不管做什麼事都要做好。像超人、蝙蝠俠、蜘蛛人、蘇洛、泰山、〇〇七、洛基、魅影（『歌劇魅影』中的主角）這類孤獨的男人是男孩心中的偶像，他們碰到問題不會哭，而是想辦法解決，做事很少失敗。雖然他們偶爾會有助手，但大多是年紀較小的男性，很少有女性。就算有女性，她們也只是會惹麻煩而已。比如，蝙蝠俠常常救陷入危機的蝙蝠女；超人得去拯救笨笨去找死的露易絲；而泰山整天在森林裡蕩來蕩去，爲的就是解救自找麻煩的珍；魅影之所以會在大家面前現身，就是因爲黛安娜惹禍了。這些超級英雄有時候寧願找匹馬或找隻狗來當夥伴，因爲牠們既忠心又可靠，從來不會頂嘴，也不會想辦法去證實英雄的錯誤。如同許多書與電影中的傳統英雄典型，男孩的偶像很少犯錯，而且絕不會暴露自己的弱點或情緒。絕對不會有蝙蝠嫂，或是蘇洛女士出現。孤獨的遊俠絕不是個喜歡熱鬧的人。卡通中的英雄都是肌肉男，像個塞滿核桃的保險套，聲音低沈沙啞（太多男性荷爾蒙），而英雌多半像芭比娃娃一樣，還有個現實中不可能存在的大胸脯。

『我老公名叫「正確」⑤，只是我不知道他姓「總是」。』

男孩長大成人後，以上的條件束縛了他們的心態，讓他們覺得，要是沒辦法做某件事，或是解決問題，就表示他無能。因此只要女人問男人說了哪些話，或是做了什麼事，他們就會採取防衛的態度。比如說，假如女人說：『我們停下來問路吧。』男人聽到的會是：『不指望你了，我們還是找個懂得比你多的男人吧。』女人說：『我想打電話找修車工來修車子。』他聽到的是：『你眞沒用，我要找個會解決問題的男人。』他會把食譜當做生日禮物送給女人，毫不猶豫。但是如果女人把自我成長的書當禮物送給他，他會勃然大怒。他會認爲女人是想暗示他，他不夠好。參加男女關係研討會，或是找顧問，都會讓男人感到很沒面子，因爲那等於承認他有錯，所以每當有人提出必要的建議時，男人都會爲自己辯護，再不然就是變得有攻擊性。『對不起』對男人而言是很難說出口的，因爲這麼做等於承認他做錯了。

實例探討：潔琪和丹的故事

潔琪想辭掉工作，準備專心當母親，可是丹覺得他們的收入還不夠撫養小孩。不久之後，這一點變成兩人爭執的核心，而且還不是偶爾吵吵而已，是經常在吵。沒多久，兩人的關係陷入緊繃的狀態。某一天，潔琪跟丹說，她找了一位財務顧問來解決他們的財務問

譯註⑤：Mr.Right，另有『白馬王子』之意。

題。丹感到匪夷所思，潔琪竟然找別人來解決他們的問題！丹心裡想，顯然她不認為他有計算能力。兩人越吵越激烈，三個月後，兩人離婚了。

潔琪以為找財務顧問是幫丹的忙，可以減輕他的壓力。為了他們的小孩，她很盡責的找了財務顧問做理財規劃，原本期望丹會很高興她這麼做。可是丹的看法卻完全相反。他認為潔琪是想表示，她覺得丹不會做財務規劃，所以才會找顧問來突顯他的無能。

妳不信任我嗎？

當男人的做法受到女人質疑時，他們最常出現的反應是：『妳不信任我嗎？』聽到這句話時，妳可以確信，妳剛剛侮辱了他的男子氣概。假如他迷路了，正試著從地圖上找到正確的路，這時她說：『讓我看地圖吧。』他會以為她覺得他無能。他的反應會是：『難道妳不相信我可以找到目的地嗎？』如果鄰居的狗在晚上狂吠不停，他說他要去解決這件事，但她卻求他不要去，免得惹出麻煩，他會說：『莫非妳認為我沒辦法處理好這種事？』

在宴會場合，她警告他，某個女人是惡名昭彰的男人殺手，要避開她，他會說：『妳不信任我嗎？』在這不同的狀況中，女人的想法只有一個，沒有改變，那就是：『我只是想幫忙！』她認為自己是在向他表示，她愛他，很在乎他。但是他卻認為，她是在說他做錯了，而且沒有能力解決。

女人的忠告聽在男人耳裡，等於是說他做錯了，以及她不信任他。

他指責這是想控制他。他反應如此強烈，讓女人也開始懷疑自己是支配欲強的人。

解決辦法

女人要盡量避免讓男人感覺是他做錯了。她應該要說出自己的想法，以此來反對他錯誤的做法。比如，不要說：『你根本不曉得自己往哪兒走了，難怪我們老是遲到！』要說：『親愛的，你做得很好，可是這些街道把人都搞迷糊了。我真的覺得，如果我們停下來問問這裡的人，看看他們知不知道哪條岔路才對，這樣會比較好。』換句話說，就是沒有在怪他。男人找對路時，女人應該要稱讚他。到達目的地後，她要說：『謝謝你，親愛的。我們到了，你做得真好。』最好的方法，是買個衛星定位系統給他，這樣他就不會迷路了。

四、為什麼成年男子對『男孩』的玩具那麼有興趣？

朋友蓋瑞生日時，我們送給他一個電動釘書機，這個釘書機的大小和縮小的電視機差不多。釘書機外面是透明塑膠，可以看見裡面零件的轉動。感覺像是從太空梭裡拿出來的東西。它需要三顆三號電池，而且得每個禮拜更換，但它的工作和一般釘書機沒有兩樣，只是把紙張釘在一起罷了。不過蓋瑞很高興我們送他這個新玩意兒，不是因爲它是個釘書機，而是因爲能看見裡面的零件在轉動，還會發出機械運轉聲。蓋瑞告訴我們，一大早起床後，他下樓上廁所時，會經過放釘書機的桌子，他都會忍不住拿四、五張紙來釘，就只爲了看裡面的齒輪轉動。他的男性友人來他家作客時，他們會全部站在釘書機旁，輪流使用，然後一起愉快大笑。女人來訪的話，沒有一個會瞄它一眼。用這麼一件昂貴的東西來處理如此不重要的事，還會讓人那麼高興，這令女人大惑不解。其實男人這種行爲，和女人花一大筆錢，買下大眼睛小鼻子，巴西製的泰迪熊是一樣的原理，因爲她就是『……實在抗拒不了買下它的衝動。』

爲什麼兩性對這類的事情會有如此不同的反應，其實很容易解釋。底下是大腦的掃描圖，圖中顯示當人在使用空間能力時，使用了哪幾個區域。黑色的部分是活動的區域。大腦處理空間的區域，也是用來處理估計速度、角度和距離的部分，這是狩獵人的大腦。

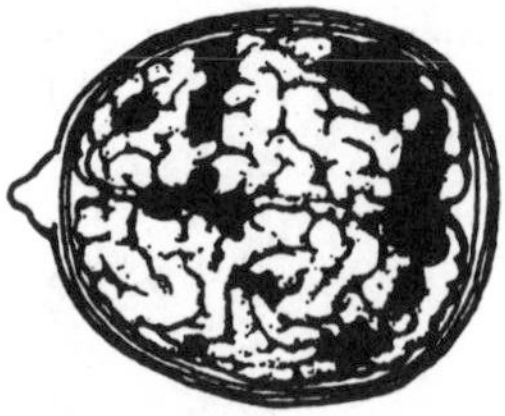

男性

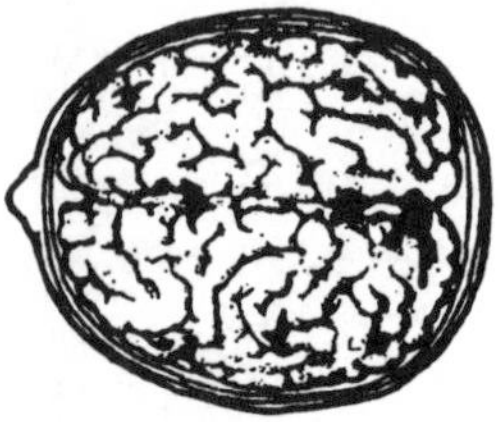

女性

●開車、踢足球、倒車，以及操作機械時，大腦運用到的區域。

倫敦精神病研究中心，2001 年

由於大腦空間區域天生構造的關係，男人和男孩特別喜歡有按鈕、有馬達，或有活動零件的東西，也喜歡有聲音、閃光，且靠電池運作的機械。比如各式各樣的電動玩具或電腦軟體、掌上型 GPS 導航系統、媲美眞狗的機器狗、電動式窗簾、遊艇、儀表版很複雜的汽車、割草機、有夜視鏡的槍、核子武器、飛行器，以及任何有遙控器的東西。假如有一天洗衣機也有遙控器的話，男人說不定會考慮洗衣服。

DIY 設計

DIY 的過程需要用到男性大腦中，處理立體感感覺的部分。男人喜歡 DIY，像組裝古典帆船、火車、模型飛機、組合型玩具、電腦桌、書架等，只要有組裝說明書的他們都喜歡，不管說明書有多難懂。男孩會去的地方是玩具店，而男人則是去像特力屋這種地方，不然就是五金行或修車廠，一些可以讓他們動手做，或是可以看到機器運轉的地方。這些都是大腦中，處理立體空間感的部分驅使他們去做的。男孩相信，只要長出鬍子，隔天他就有辦法拆掉車子引擎，然後再組裝回去，這是他們的本能。

然而在家中，這種驅使力量卻常令女人感到喪氣，因爲對於這類的工作，男人只維持三分鐘的熱度，之後就去找別的事情做了，結果家裡擺了一堆未完成的東西。他們不會考慮修某些壞掉的東西，但是如果妳建議找人來修，他會生氣。比如，假如家裡的馬桶壞了，女人會說：『我們打電話找水電工來吧。』對男人而言，這是在打擊他的能力。他會說，他來就行了。而且這麼簡單的事，水電工還要收一大筆費用。

要是沒問過家中的男人就打電話找水電工，他會認爲這是在侮辱他。

星期六下午（球賽結束後），那個拒絕找水電工的男人，關掉了水的總開關，然後拆開馬桶。他發現是橡皮圈壞了，這可以在賣DIY用品的店裡找到。到了店裡，他閒逛四十五分鐘，看了每一種他能買的玩具，試用了打磨機、風鉆，最後終於找到橡皮圈，大小似乎和家裡的一樣，可以換掉壞掉的。回家後，他把橡皮圈裝上去，發現尺寸不合，裝不上去，又沒辦法把舊的裝回去，因爲他找不到舊的。而DIY用品店已經打烊了，塞子沒修好，所以他不能打開總開關，結果沒有人可以洗澡，馬桶也不能用。

很多女人不了解，爲什麼男人寧願鋸掉右腿，也不願承認自己沒辦法修理。因爲如果承認自己不會修理，就等於承認他缺乏男人最重要的兩種能力——空間能力和解決問題的能力。要是他的車子發出怪聲，他會打開引擎蓋瞧瞧，即使他完全不曉得自己在找什麼。他總是在期待問題會像一隻超大穿山甲在吃化油器那麼顯而易見。

女人在沒有先請示過家中男人之前，絕對不可擅自找水電工、建築師、理財專家、電腦工程師、捕捉穿山甲的專家，或是任何一個運用到大腦立體空間處理能力的人，否則他會認爲，女人覺得他沒有那方面的能力。她應該先告訴他需要些什麼、問問他的想法，再給他一個期限。這麼一來，如果是他打電話找水電工，他會覺得是他自己解決了問題。

男人和男孩的差異只有一個，那就是他們的玩具價錢不一樣。

現在有許多新行業是由女性發展出來的，不過在專利註冊方面——尤其是『男孩的玩具』——卻有百分之九十九是由男性註冊的。這讓我們學到一件事，就是：送禮物給男人時，要送會運用到他們立體空間處理能力的禮物。千萬不要送他們花或漂亮卡片，對他們而言，那些一點意義都沒有。

五、為什麼男人一次只能做一件事情？

在《爲什麼男人不聽、女人不看地圖？》中，我們深入剖析了爲何男人一次只能做一件事之後，得到很大的回響，因此在此再做個總結。許多女人無法理解，爲什麼男人一次只能做一件事。女人可以在聽人說話時，自己也說話，爲什麼男人不行？爲什麼男人接電話時得關掉電視？全世界每個女人都有相同的埋怨，那就是：『爲什麼他看報紙或看電視的時候，都聽不到我說話？』

其實這原因在於，男人的大腦分隔成幾個區域，每個區域有各自的工作。簡單的說，就像是有幾個獨立的房間，每間房間至少有一樣主要的功能，但各個房間是獨立運作的。

左大腦和右大腦之間，有胼胝體連接，男性的胼胝體比女性薄百分之十，連結點也比女性少三成以上，因此他們每次只能做一件事。

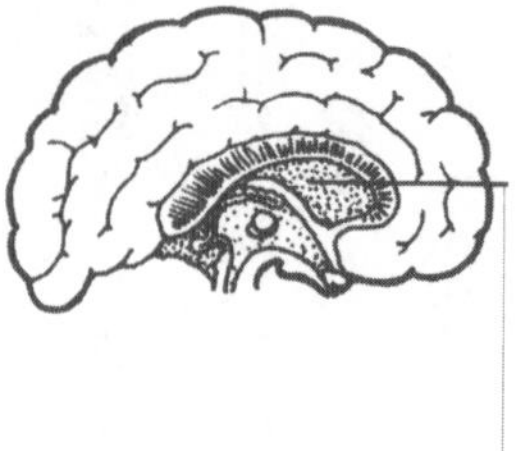

男人的大腦劃分成不同區域，而且連接左右腦的連結點比女人少三成以上。

但這也讓女人很難專心做一件事，使得男人在某件事情上得以成爲專家。世界上的科技專家，有百分之九十六是男性，他們很擅長某一項特定的技能。女人要了解，男人一次只能做一件事。他們在倒車停車、看地圖時，會關掉收音機。拿著銳利的工具工作時，要是電話鈴響了，他們會傷到自己。男人看書時，從腦部核磁共振顯像可以清楚看出，這時的他是聽不到的。牢記，男人刮鬍子時千萬不要和他說話，除非是妳刻意要他受傷！

男人在開車時講手機，發生車禍的機率是女人的兩倍。

女人的大腦構造是屬於多功能性的，她們可以同時做不同的事。從大腦的掃描結果可以看出，女人大腦的活動從沒有停止過，即使睡著的時候也一樣。因此，從事私人助理工作的人，女性佔了百分之九十六，彷彿她們擁有八爪章魚的基因。女人可以邊講電話邊看食譜做菜，不僅如此，還可以邊看電視，三件事同時進行。女性開車時也可以邊開邊化妝，用耳機講電話時還能聽收音機。要是在男人看食譜做菜時和他說話，那就準備到外面找餐廳吃飯吧。

做事想要成功，那就一次只給男人一件事情做。開會的時候，一次只討論一個議題，而且要討論出結果，解決了之後，再進行下一個，這樣男人才會感到滿意。

最、最重要的，在嘿咻的時候，千萬、千萬不要問男人問題。

六、為什麼男人對運動那麼著迷？

幾千年來，男人和女人負責的工作沒有多大的改變。男人成群結隊外出打獵，女人則是負責蒐集食物以及帶小孩。男人在外面跑、追逐獵物，善用他們大腦中負責立體空間運算的部分。但是到了十八世紀末，農耕的技術大有進步，使得他們這項技能變成多餘的。西元一八〇〇年到一九〇〇年間，人類發明了各種球類運動，藉此取代狩獵活動，而且這些球類運動沒有因爲時代演變而遭淘汰。女人小時候是玩洋娃娃，以此來練習帶小孩的技巧。男人小時候的遊戲是打球，以此來磨練『打獵』的技能。長大後，女人的洋娃娃變成了自己的子女，而男人仍然是在打球。所以實際上並沒有多大的改變，男人仍然是在打獵，女人還是一樣在帶孩子。

對於心儀球隊的狂熱，讓男人有了聚在一起的機會，就像以前大家一起外出打獵一樣。看著他心中的英雄在球場上奔馳，彷彿他自己也親自起腳射門得分一般。男人在看足球賽時，會變得很激動，有如自己眞的下場比賽似的。他們的大腦會計算速度、角度，以及球的方向，得到關鍵分時，他們還會興奮得大叫。

運動讓男人得以成爲獵人隊伍的一員。

男人不滿裁判判決時，還會大罵裁判（即使裁判聽不到）：『那個哪算犯規？你這個白痴！去買付眼鏡來戴吧！』

他們可以清楚記得得分數以及比賽細節，即便是多年前的比賽，當他們提起當年球員的表現，仍會熱淚盈眶。例如：一九六六年世界盃足球賽，英國贏了德國，得到冠軍一役，直到現在，他們還記得上場球員的名字、差點進球的射門數，以及有哪些是錯誤戰略。眞是可怕的記憶力，但是，他們卻不記得姪子、姪女、隔壁鄰居的名字，也不記得哪天是母親節。

男人能在看運動比賽時感動萬分，但是在親密關係中，卻很少同樣的感動。

開車得充分運用到空間運算能力，像速度、角度、轉彎、換檔、倒車入庫都需要用到，因此男人做起來是得心應手。男人對開車是如此著迷，以致他們可以坐在那兒看電視上的別的男人在車場上賽車繞圈圈，好幾個小時也看不膩。他們在看拳擊賽時，如果看到拳擊手下腹部被痛毆一拳，他們也會覺得很痛。

男人除了迷運動比賽外，還迷無意義的挑戰。像是喝酒比賽，最後屹立不倒的就是勝利者。還有比誰的啤酒肚大、冰上自行車比賽，或是設計造型奇異的飛行器，從橋上跳入河裡等。對於這些『運動』，女人是一點興趣也沒有。

『我老婆說，如果我還那麼迷曼聯隊，她就要離開我。唉，我會想念她，眞的。』

現代社會的轉變令男人無所適從。他們大腦的主要功能不僅被女人批評，還變得無用武之地，再加上沒有可供參考的典範，讓他們更加不知所措。男人從運動比賽中，找回一同出獵的團隊感，在這團隊中，沒有人想改變他，也沒有人會指責他。球隊贏了比賽，他就會有成就感，而這成就感，無法再從工作中得到。如果所從事的工作，只是做些例行公事，或是平淡無趣的工作，他們就會沈迷於運動比賽之中。而工作刺激多變的男性，就不好此道。所以男人會買套新的高爾夫球球具，而不會買家中較需要的餐桌；寧願把時間花在足球季上，也不願帶全家人去法國度假。

解決辦法

如果妳的伴侶沈迷於某運動或嗜好，妳有兩個方法可以選擇。一、加入他，研究學習他的愛好，對於他的嗜好瞭若指掌。然後和他一起參加聚會，這麼一來妳會發現還眞的有不少『運動寡婦』一起參加運動聚會，而且樂在其中。即使妳對這個沒有興趣，其他人仍會覺得妳善解人意，體貼老公，而妳也能交到許多新朋友。

二、利用他沈迷於運動比賽期間，好好的與朋友、家人聚聚。去逛逛街，或是找出自己的嗜好。有重要賽事時，妳就特別法外開恩吧，讓他知道妳明白那對他眞的很重要。不要想和男人喜歡的運動或嗜好競爭。妳要不就加入他，要不就利用寶貴的時間做些對自己有益的事。

七、男人在洗手間時到底會聊些什麼話題？

男人經常有個疑問：『在外面，女人會結伴一起去上廁所，她們在裡面到底會說些什麼？』我們先解答這個疑問吧。答案就是：人事物無所不聊。她們會拿這個聚會地點和別的場所比較，以及她們喜不喜歡這個地方。還有談論別人的穿著：『妳看到那個穿紫衣服的女的嗎？打死我我也不會那樣穿！』她們會聊她們覺得哪些男人不錯，哪些男人惹人厭，也會聊自己或朋友碰到的難題。補妝的時候，她們也會交流彼此的化妝技巧，比較不同牌子的化妝品，還會把自己的化妝品分給別人用，即使是陌生人也沒關係。沮喪的女人會去找集體心理治療……那個害她難過的男人，就等著被罵到臭頭吧！女人會坐在馬桶上，隔著牆和隔壁的人聊天。也會請別人從門下縫隙遞衛生紙給她。有時候女人也會共用一間廁所隔間，這樣她們才能繼續聊天。英國伯明罕有一家夜總會，爲女廁加大廁所隔間，每一間有兩個馬桶，這樣女人才能做深入且有意義的交談。

女廁是交誼廳，是諮詢中心，在這裡妳可以遇到新朋友以及有趣的人。

現在回到正題：男人在公用廁所裡都聊些什麼？答案是——什麼都沒聊。完全沒有。他們在廁所裡並不會交談。即使是和最要好的朋友一起，也只是講一、兩句而已。他們絕不會和陌生人在公共廁所說話。不管在什麼情況下，絕對、絕對不會。他們坐在馬桶上就不會再找人說話，也不可能和別人四目相對。Never。男人喜歡那種牆壁從天花板一路到地板的廁所隔間，以盡量避免與鄰居互動，反之，女人卻喜歡有大空隙的隔間廁所，因爲這樣才能聊天，還可以傳東西。在女廁裡很少聽到有人放屁，就算聽到放屁聲，那個罪魁禍首也會躲在隔間裡，等到所有證人都離開了才出來。而在男廁中，放屁聲有如七月四日國慶日的煙火，誰的屁最響亮，誰就會光榮驕傲的從隔間走出來。

底下是一位男讀者寫給我們的信，信裡的描述，證明男用廁中有多安靜：

我在高速公路上欲往北去，途中在一家休息站停下去上廁所。第一間有人用，所以我去第二間。才剛坐下，就聽到另一間廁所裡有人說：『嗨，你最近好嗎？』在休息站的男廁裡，沒有人會和陌生人說話，連認識的朋友也不會交談，我也一樣。但不曉得我當時是怎麼搞的，竟然還是回了一句：『還不錯啦！』雖然我感覺很困惑。

那個人又說：『啊，你現在在幹嘛？』

我心想：『眞怪。』可是我還是傻傻的回話：『跟你一樣……打算往北走呀！』

接著我聽到那個人不安的說：『跟你說喔……我再打給你啦，隔壁有個白痴一直在回答我的問題啦！』

男人在選小便池時，會有選擇地盤的習慣。如果一間廁所裡有五個小便池，第一個進來使用的男人，會選離入口最遠的，這樣就能遠離新來的人。第二個進來的，會選離第一個人最遠的小便池。第三個人就選兩人之間的。第四個會選隔間廁所，他不會選擇站在陌生人旁，免得被人盯著看。而且男人總是沈默的直視前方，絕不與陌生人交談。絕不。男人的座右銘是：『打死都不能四目相對。』

對男人而言，在公廁裡站在另一個人旁邊，好比自己站在高處，而且老二露在外面。

chapter 6

另一個女人
他的母親

直到新婚之夜，蘇才得知，
馬汀，三十六歲，
仍讓他的母親幫他買內褲。

兩個女人扯著一個年輕人來到所羅門王面前，這個年輕人答應要娶她們兩人的女兒。聽了他們的事後，所羅門王下令把年輕人砍成兩半，這樣就能娶她們的女兒了。

『不！』第一個女人馬上大喊，『不要流血！讓他娶那個女人的女兒好了。』睿智的國王一秒也沒猶豫，馬上判定：『這個男人一定是娶那個婦人的女兒爲妻。』他宣判：『因爲她寧願看他被切成兩半！所以，這顯示，她的確是這個男人的岳母。』

潑婦來了

在這世上，有許多笑話的靈感是來自丈母娘。她是喜劇演員嘲笑的對象，是男人之間的笑柄，也是電視連續劇的笑話來源。丈母娘常被描述成是巫婆、兇悍的老太婆、潑婦。記得現代俄國國父之一，列寧，被問到重婚罪最嚴厲的處罰是什麼，他的回答是：『有兩個丈母娘。』

今天早上我岳母來按門鈴。我應門時她問：『我能在這邊住幾天嗎？』我回答：『當然可以。』然後就關上門。

丈母娘和禿鷹有什麼不同？

禿鷹會等你掛了才吃掉你的心臟。

岳母大人的確造成許多婚姻問題，是讓婚姻破裂的第三者，但是通常引起問題的，並不是女方的母親。依據我們的研究，眞正危險的，是男方的母親。丈母娘讓人不滿的，頂多是挑撥離間和話中帶刺，但不是眞正的興風作浪。

『今天我收到一封電子郵件，是通知我丈母娘過世的事情，信中問到是要用土葬、火葬或是塗防腐劑。

我回信：「請務必三樣都準備。」』

對多數男人而言，難相處的岳母並不是主要問題。亞歷桑納州的傳奇人物，喬凡尼・維里托，他在一九四九年到一九八一年間結了一百零四次婚，有五十次是用化名，這一百零四位丈母娘加起來的麻煩，還比不上他最後被判坐三十四年牢來得多。

丈母娘或許會惹惱他、叨唸他、激怒他，可是大部分男人不是眞的討厭他們的丈母娘。丈母娘的問題在男人的生活中並不重要。波蘭有個古老的諺語說：『要討丈母娘的歡心，就要從她的女兒下手。』不少男人明白這一點。母親最大的願望，就是看見自己的女兒幸福。如果女兒的男人能讓她們幸福快樂，丈母娘就不太可能會成爲麻煩。

要說有什麼麻煩，那就是丈人拒絕放開他心愛的『小公主』。不過關於丈人的笑話幾乎沒有——因爲他們實在不苟言笑。

他的母親——她的負擔

家庭中多數的問題都來自男方的母親，也就是妻子的婆婆。猶他州立大學進行的研究顯示，五成以上的婚姻問題，是媳婦和找麻煩的悍婆婆造成的。不過不是所有的婆婆都這麼可怕，但是對許多當媳婦的來說，一個愛管閒事、佔有慾強、不斷煩擾他們、切不斷她和兒子之間的臍帶的婆婆，會是個精神摧毀者。在她心裡，她認爲婆媳問題永遠無法解決，而這會造成不幸、讓人痛苦不堪，到最後甚至可能導致離婚。

有個男人遇到一位很好的女人，兩人訂婚了。一晚，他安排母親與他們兩人共進晚餐，讓母親看看他的未婚妻。到母親家時，他帶了三個女人——一位金髮、一位黑髮、一位紅髮。他母親問他，爲什麼帶了三個，而不是只帶一個。他說，他想讓母親猜猜，哪個是她未來的兒媳婦。她仔細觀看三個女人，然後回答：『是紅頭髮那個。』

『妳怎麼這麼快就猜出來了？』他問。她回答：『因爲我不喜歡她。』

不是每個婆婆都很壞

不是每個當婆婆的都是那麼邪惡的。根據猶他州立大學的研究，壞婆婆占五成，而另外的五成婆婆，有些頂多是冷漠，有些則很照顧。不過婆婆的缺點也常被人拿出來說，而且要是兒子或媳婦的情緒不穩定，也常怪罪在她們身上。

實例探討：安妮妲和湯姆

安妮妲和湯姆新婚，才六個月，他們剛建立的幸福就有了裂痕。安妮妲覺得很難跟湯姆住在一起。他的衣服到處亂扔，還把濕毛巾扔在地上。湯姆把每個房間弄得亂七八糟。安妮妲快受不了了。

安妮妲：『湯姆，你這隻豬——我沒辦法繼續跟你住下去了！』

湯姆：『才不是——妳才麻煩咧。妳眞是愛挑剔，快把我搞瘋了！我在家時才不會像現在這樣。我媽沒罵過我，也沒抱怨過我做的事！』

安妮妲：『好極了——我們來談談你媽媽吧。和你住這六個月來，我實在不知道她是怎麼養大你的——她一定寵壞你了。你認爲女人即使上班，還必須洗衣、煮飯、熨衣服、打掃家裡——事實上，你一點都不尊重女人。你媽媽製造了你這個怪物，我再也不想忍受下去了。』

湯姆：『這和我媽有什麼關係？妳幹嘛不針對問題，老怪罪別人做什麼？妳怎麼不自己檢討一下？』

很多母親毀了自己兒子和別的女人的生活。她們無微不至的照顧他，爲他做飯、打掃、洗衣，還有熨衣服。她們認爲自己的所作所爲，都是爲了表現她們對兒子的愛，可是實際上是爲兒子帶來問題，使得他們日後無法和別的女人一起生活。到頭來兒子會覺得，做這些母親幫他們做的事情，實在很困難。不少女人不知道該怎麼處理這種情形，只好歸咎在他們母親身上，其實訓練他們去做她想要他們做的事，反而比較有效率，不要再指責他們的母親。他們已經是成年人了，必須爲自己的行爲負責。

這些問題可能會很複雜，因爲我們處理的是三方面的關係，在這裡面，有可能三個人都得是情緒穩定，而且自主性高、不自私、會關心別人的人。但其中也有可能有一人、兩人，或甚至三人心中有嫉妒、佔有欲、依賴、幼稚、自私，或情緒不穩。

為什麼婆婆難當

媳婦很難想像婆婆的難處，因爲不管大小事，她都是找自己的母親商量。然而做母親的渴望能參與子女的生活。可是女孩依賴的卻是她自己的母親，而不是婆婆，雖然這是正常現象，但會讓婆婆心生嫉妒。婆婆心裡掛念的，就是兒子現在在做什麼，如果是獨子，而她生活又很無聊的話，這種現象就會越嚴重。像是他吃得好嗎？他家裡夠乾淨嗎？諸如此類的。要是兒子很少跟她提起現在的生活狀況，久而久之，她會覺得自己被拋棄了，爲了避免這種情形，她會常到兒子家，免得兒子有了老婆就忘了娘。在結婚之前，兒子的女友會想盡辦法討她歡心，因爲她必須鞏固自己的地位。然而結婚之後，一切都穩定了，情況就轉變成兩個女人爭一個男人的戰爭。不過所有問題都有解決辦法的。所需要的只是解決問題的意願。兒子和媳婦必須成熟且開誠布公的討論這種情況。

實例探討：馬克和茱莉

馬克決定娶茱莉進門。由於茱莉和母親莎拉吵架，因此母女兩人三年沒說過話。這表示茱莉越來越依賴馬克的母親法蘭。茱莉的婚紗是法蘭幫她挑的，婚宴的菜單也是她決定的，還有婚禮的安排也是——所有茱莉該和自己母親籌備的事，都是和法蘭一起進行的。然在就在婚禮舉行之前，在馬克的幫忙下，茱莉找到母親，兩人重修舊好。法蘭突然變成多餘的，被人遺忘了。她覺得自己被利用了，感到很受傷。

結婚後，除非婆婆和媳婦的關係很好，不然她們常會被人遺忘。如果媳婦和自己的母親很親密，她或許會忘記，老公的母親和她自己的母親一樣重要。我們的生活越來越忙碌，越來越少時間和自己的家人相處，更別提是大家庭中的家人了。人與人接觸的時間越來越少。在工作上，我們用電子郵件聯絡，和人接觸的機會減少了，可是對老一輩的人來說，電話或聚會才是他們熟悉的。我們這一代的人不知道該怎麼和自己的父母應對，然而兩邊都應該互相體諒了解對方，並且找出能讓雙方都滿意的解決方法。父母需要我們撥出時間和他們相處，而子女也需要花時間在自己的小家庭上。在以前，大家庭的人是住在一起的，現在不同了，我們可能住在不同的城鎮，甚至是不同國家。在這方面盡點心力，也是家庭生活的一部分。

在印度和非洲某些地方，已婚的婦女會『脫離』自己的父母，和丈夫的家人同住，並稱呼他們爲父親、母親。在許多國家中，姻親關係有明文規定，而且定義相當清楚。不過在西方文化中，男女之間的關係遠遠領先於其他關係——而姻親親戚則成爲取笑的對象。

實例探討：伯蘭蒂、理察和黛安娜

伯蘭蒂的想法

伯蘭蒂四十出頭時，丈夫離開了她。『解脫了！』她跟朋友說。她丈夫不僅酗酒，也從不關心家人。不過她有兒子理察。他是個誠實的年輕人，才二十二歲，他會照顧母親。伯蘭蒂以爲理察不會對女孩動心，因爲她無微不至的照顧他，他難過時安慰他，並給他精神支持，他還需要別的女人嗎？偶爾的約會也是爲了解決性需求而已。她覺得理察知道，從他出生之後，她就特別呵護他、照顧他、疼愛他，所以現在他的責任就是照顧她。

黛安娜的想法

黛安娜對理察是一見鍾情。兩人在交往時，她就覺得奇怪，爲什麼理察不帶她去見他母親，一直等到兩人訂婚之後才見到他母親。伯蘭蒂的表現很冷淡，黛安娜以爲她是需要時間調適。伯蘭蒂冷笑著說，他們兩個年輕人還不到結婚的時候，在舉行婚禮之前，還能夠改變主意。

婚禮終於舉行了，伯蘭蒂的態度很差，她告訴每一個人，她認爲他們兩個會離婚。

亞當和夏娃是全世界最快樂、最幸運的夫妻，因爲他們沒有婆婆也沒有岳母。

沒多久黛安娜便明白自己有個來自地獄的婆婆。蜜月結束，兩人回家後，問題馬上浮現。伯蘭蒂有事沒事就來他們家，連通知一聲都沒有。

起先黛安娜試著好好與婆婆相處，可是過不久，她就煩透了，因爲伯蘭蒂不斷的告訴她，要怎麼做理察最愛吃的菜，以及他喜歡房子作怎樣的佈置。黛安娜不管做什麼事，都會被伯蘭蒂挑毛病。不久之後，只要理察不在，伯蘭蒂就會公然羞辱她，但是當她跟理察說這件事時，伯蘭蒂卻是完全否認，還罵她是想破壞他們母子的感情。黛安娜開始避開婆婆，可是這樣一來，伯蘭蒂就每晚打電話到他們家，跟她兒子聊個沒完。她會問他何時要『回家』粉刷房子、除草、修理漏水的水龍頭、商量事情，或是要他帶她去購物。她的要求似乎沒完沒了。理察現在完全受她控制，隨傳隨到，全然沒注意到，黛安娜也需要他。伯蘭蒂把兒子當成她的丈夫了。

換電燈泡需要幾個婆婆？一個。

她只要高舉著燈泡，然後等著世界繞著她運轉。

兩年後，黛安娜生了一個兒子，取名做崔維斯。伯蘭蒂隨即天天到他們家報到，幫忙照顧嬰兒。伯蘭蒂很清楚怎麼照顧嬰兒，而且一手包辦。她並沒有教黛安娜該怎麼當個母親，反而是一天到晚批評她。伯蘭蒂愛上崔維斯，一看到他就抱著他不放。黛安娜開始覺得自己像個外人。伯蘭蒂搶走她的兒子，她想她的兒子會變得比較愛祖母，而不愛他的母親。黛安娜覺得無路可走，痛苦不堪。伯蘭蒂經常不請自來，還常批評、侮辱黛安娜。黛安娜試著再和理察商量這些問題，但是他覺得黛安娜只是佔有欲太強，他母親只是想要幫忙而已。他還認爲，滿足他母親是她的責任。理察覺得黛安娜變得自私、愛嫉妒，而且太幼稚了。最後黛安娜不想再爭執下去，忍著憤怒，保持沈默。

理察的想法

父母離婚後，理察很想念他的父親，但是父親離開後，家裡的氣氛變得完全不一樣。他母親老是跟他說，他父親一無是處，現在他是一家之主了。他母親的照顧無微不至，煮他最愛吃的菜，幫他鋪床，跟在他後面收拾東收拾西，而且從不讓他穿沒洗過、沒熨過的衣服。母親從來沒指責過他，事實上她認爲不管他做什麼，都是完美無缺的。唯一的問題，就是每次他帶女朋友回家跟母親見面後，和女友的關係就會迅速變冷。可是在他遇見黛安娜後，他知道自己愛上她了。他決定盡量讓黛安娜遠離母親。

理察和黛安娜結婚後，伯蘭蒂三不五時的就去他們家，幫他們做事，可是黛安娜似乎很嫉妒他和母親的親密，後來他母親就不再來他們家了。但是他每個週末都會去幫她修理家中的東西。不過對於他母親，有個問題他想不通。她每天晚上都會打電話給他，而且講個不停，這個時間可是他要休息放鬆的時候耶。但是他想想，母親一定很寂寞吧，自己一個人住，況且他有義務要照顧她。

姻親親戚和通緝犯有何不同？通緝犯人人喊著要，姻親親戚則否。

崔維斯出生後，伯蘭蒂是第一個來幫忙的人，她總是在他們家中，洗嬰兒服，照顧崔維斯。黛安娜沒有照顧小孩的經驗。他母親的建議是很寶貴的。可是黛安娜好像完全不想接納她的建議。她認爲崔維斯似乎應該只屬於她，還常跟伯蘭蒂吵架，而且不停的跟理察抱怨他母親。他愛黛安娜，可是她的情緒爆發時，快要把他搞瘋了。理察的想法是典型的男性大腦思考方式，他認爲不應該忙了一整天後，回家還得解決妻子和母親之間的爭執。他開始懷念單身生活，那時日子沒有這麼複雜。

婆媳想要相處融洽，就必須建立良好互動關係。在穴居時代，爲了生存，自然而然會這麼做。在現代社會，女人爲了生存，必須要刻意這樣做，如此一來才能過著沒有壓力的生活，也不會逼男人處理一堆難題。婆媳問題必須由女人自己解決，不要讓老公／兒子捲入。兩個女人爭相對一個男人示好時，男人會喜歡這樣的情況，但是久而久之，他們就會變得自大。妻子要有足夠的智慧來掌控大局，確定自己有能力處理她和婆婆之間的問題。處理得法的話，便能創造雙贏的局面。女人最不需要的，是婆婆在老公面前說她壞話。她眞正需要的不是敵人，而是朋友。

這個情形時有所聞。世界各地，每個家庭都會有這樣的問題。有些國家的狀況比其他國家更糟。在俄國，新婚的年輕夫婦得和父母同住，因爲很少有人能有自己的公寓，結果憎惡婆婆的情結成爲他們的文化。在西班牙，有一種叫『婆婆症』的疾病，這種病是由婆婆造成的。還有一種叫『殺了婆婆』的嘉年華口哨曲子。在印度首都，德里，有一座監獄的側樓，專門關那些破壞婚姻的婆婆。這裡常常有人滿爲患的問題。

在西班牙和義大利，婆婆有可能因爲破壞婚姻，而被告上法庭。在佛羅里達的魯茲，有個妻子受不了她老公總是護著他母親，就下藥迷昏他，並且在他臉上刺青，刺上他母親生氣的臉。後來她老公離開她，不但訴請離婚，還告她傷害。在澳洲，藥劑師拒絕賣砒霜給一個女人，因爲她手中拿著她婆婆的照片。

猶太婆婆更常成爲人們取笑的對象。在美國的紀錄片『媽媽劇』中，猶太婆婆的擁抱被形容是『像是被熊來一記愛的擁抱，會把妳抱得窒息，到妳死爲止。』

洛威拿犬和婆婆有什麼不同？洛威拿犬最終還是會放妳走的。

婆媳問題也許一開始就存在，有時候敵意還相當強。席維斯．史特龍宣布將娶懷孕的女友，珍妮佛．弗拉維，他母親告訴全世界：『他不該和那個女孩走上紅毯的。珍妮佛正在熱戀中，但這是因爲她現在覺得自己很重要吧。我認爲她有一種劣根性。』其實在她曾經公開說：『在我眼裡，沒有一個女人配得上席維斯。叫我爲他死我都願意。』就可以窺得端倪了。

可是很多時候，儘管三個當事人都試著找出大家能夠接受的解決辦法，並且達成協議，結果還是沒有用。如果樑子一開始就結下了，那麼媳婦不得不試著建立溝通橋樑。她必須了解，求婚到結婚的時間很有限，如果她的注意力全放在她和未婚夫的關係上，忽略了未來的婆婆，這絕不是好的開始。她必須試著和未來的婆婆單獨相處，讓婆婆了解她這個人，而不是只把她當成兒子的妻子。站在一對一的基礎上，加強兩人的關係，等家庭成員越來越多時，問題才會比較少。

結婚之後，如果沒有解決問題，讓它生根了，那麼三人之間很難取得共識，每個人都有自己該做的事，對於事情的輕重緩急也有不同的看法。當其中一個人覺得另外兩個人站在同一陣線，便很難讓他屈服。到了這個時候，必須由兩個最受影響的人來想辦法解決問題，這兩個人就是——兒子和媳婦。

他們必須先回答這些問題：

他們兩人都知道現在出現問題了嗎？他們想要快樂、親密的生活嗎？想要白頭偕老嗎？他們想要解決問題嗎？

如果其中有人的答案是『不』，那麼最好去找婚姻諮詢。如果答案是『要』，夫妻兩人應該坐下來，拿張紙，坦白的寫下他們認爲有哪些問題存在。

以上面的實例來說，黛安娜可以寫下：

伯蘭蒂總是不請自來，讓我們沒有隱私，還常打亂我們的計畫。

伯蘭蒂每天晚上都打電話來，但是晚上是我們享受安詳家庭生活的時刻。

伯蘭蒂對理察的要求太多了，讓他沒有足夠的時間和他的家人相處。

伯蘭蒂很愛管閒事。她想知道我們每一件事，而且每件事都想參與。

伯蘭蒂總是批評我而且不尊重我的能力。她很專橫，要理察像個孩子似的服從她。

另一方面，理察可以寫：

我母親很寂寞，安慰她是我們該做的事，可是黛安娜並不想照顧她。

我母親沒有男人在身邊幫她處理家裡臨時發生的狀況，黛安娜不體諒這一點，我是她的兒子，我有責任幫她解決問題。

我母親試著幫助黛安娜，但黛安娜拒絕和她一起照顧崔維斯，也不接納她照顧小孩的建議。如果我不照我母親的要求去做，我母親會讓我覺得內疚。我不了解，爲什麼每個人都在生氣，我只想和大家好好相處。

問題在於黛安娜和理察。伯蘭蒂沒有問題。黛安娜一開始就允許伯蘭蒂保有她對理察的控制，接著她插手照顧崔維斯的事時，黛安娜也沒即時反對。理察從沒眞正切斷他和母之間的臍帶。他其實『還沒有』離家，也尚未成熟。

切斷臍帶最好的時機是在出生之時。

黛安娜並不想參與其間。但是她的痛苦是由她自己造成的。在問題剛出現的時候，她沒有爲伯蘭蒂設下界線，反而讓伯蘭蒂肆無忌憚的破壞她的婚姻和家庭。

設下界線

定好遊戲規則，設下界線，並且要求他人不可越界。理察和黛安娜剛結婚時，並沒有爲伯蘭蒂設下規定。年輕人很容易掉進這種陷阱。他們沒有經驗，而且他們的生活常常在別人設的界線裡。他們缺乏自信，常認爲家人並無他意只是想幫他們，給他們建議而已。

新婚年輕夫婦必須學習的兩個重要課題，就是設下界線以及要有自信。一旦設下界線，每個人都知道他們不能跨越的線在哪裡。他們明白一跨越那條線，就會惹來麻煩。黛安娜和理察的婚姻中，也有一條彼此不能跨越的界線，既然如此，為什麼不給伯蘭蒂設下界線呢？

黛安娜說伯蘭蒂總是不請自來。那麼需要訓練伯蘭蒂，讓她不再越過隱私這條線。必須要告訴她，她要來之前一定要打電話通知他們。跟她解釋，晚上是他們上了一天班後，可以好好放鬆的時間，而且他們也要有自己的時間來計畫一些事情，她突然打電給他們會造成不便。伯蘭蒂會覺得被冷落，受到傷害，這是可以理解的，但這是她的問題。必須強調，他們並不是不愛她，但是這些界線是必要的。伯蘭蒂終究會熬過去，做好調適的。

伯蘭蒂需要理察幫她修理家裡的東西，這也是界線的問題。理察的確有責任幫她，可是需要把這些事列入待辦事項中，並且取得黛安娜同意。三個人必須找個大家都冷靜的時間討論這些事情。和社區的雜活工人談談，把他的電話給伯蘭蒂，說不定可以解決這個問題。甚至可以由理察和黛安娜支付修理費帳單，當做生日和聖誕節禮物。黛安娜要讓伯蘭蒂覺得，她也是他們家的一分子。

二十年來，我和我婆婆過得很快樂。然後我們就見面了。

爲了照顧崔維斯，伯蘭蒂有機會再度越過不牢固的界線。經過妥善的安排後，問題會變得比較少。黛安娜必須要有當母親的自信。她得謝謝伯蘭蒂的關心，不過她和理察已經爲崔維斯擬好養育計畫，他們決定要照計畫走。理察需要限制他母親講電話的時間，同樣要得到黛安娜的同意，比如說，只能講十分鐘。理察要告訴他母親，他還有事情要做，只能跟她說到這裡。

不過最重要的，是他必須幫他母親找到她自己的興趣，分散她對家人的注意力。像是草地木球、讀書會、當醫院志工、加入退休者俱樂部、上課，或是去如『愛心送餐』（Meal-on-Wheels）的機構幫忙。理察和黛安娜都要鼓勵她多出門，不過在這個階段，要有心理準備，隨時當她的精神後盾。當建立她的『新』生活的興趣，成爲新的動力時，他們也該準備接納她眞正的興趣。

如果妳能說服婆婆每天走十哩，只要一個星期，她就在七十哩外了。

黛安娜遇到的每個問題，都可以用設定界線並堅決執行來解決。這並不容易做到。剛開始伯蘭蒂會生氣，也許會用情感勒索的方式，來讓他們感到內疚，例如：

『我爲你做了那麼多事！』『你叫我找誰幫忙呢？』

『你再也不關心我了。』『等我死了你一定會後悔的。』

『你好自私——和你爸一模一樣。』『我現在覺得好寂寞。』

可是這些詭計只有在你屈服的時候才能得逞。你清楚目前所做的事情是正確的，所有事情都是深思熟慮過的，也審愼考慮過各種可能反應，已做好應變的準備。內疚，在你願意接受這種感覺的時候，別人才有辦法讓你感到內疚。

婆婆：女性希特勒的同義字。

伯蘭蒂下個階段的反應，也許是不再幫忙，例如，不再幫忙照顧嬰兒。甚至可能會提出斷絕關係的威脅。這些都是可預料的反應，不過要是理察和黛安娜想要過著獨立、成熟、快樂的生活，他們必須堅持下去。黛安娜和理察用不著解釋或爲自己的決定辯護，只要重申那就是他們選擇的做法。

在這過程中，他們仍需關心伯蘭蒂。雖然他們有可能忍不住想和她斷絕關係，尤其是在反彈比他們想像還嚴重的時候，可是他們不應該這麼做。他們必須告知她，家人最近的狀況，不過仍然要鼓勵她建立自己的生活。要是他們能緊守設下的界線，確實執行，同時體諒並愛護伯蘭蒂，那麼便能建立一段健全、合理的關係。

如果這些努力都沒辦法解決問題，那就搬到別的城鎮居住吧。

c h a p t e r 7

女人說話的奧妙

女人不但是雙聲帶，還有十六條音軌，所以擅長有話不直說！

考古學家在一處遺跡的瓦礫堆中挖掘，被一盞佈滿灰塵的舊燈絆倒。他拿起燈擦拭，一個精靈從燈中蹦出。精靈高興的大叫著：『你讓我得到自由！』他說：『我可以實現你一個願望。』

考古學家想了一會兒說：『我希望英國和法國之間有一座橋，橋上是條高速公路！』

精靈眼珠子轉動，嘴裡喃喃說：『哎呀，我才剛從燈裡出來，身體還在抽筋，又累。你知道英法之間的距離有多少哩嗎？工程上是不可能做到的！許另一個願望吧！』

這個男人沈思了一下，然後說：『我希望能知道怎麼和女人溝通。』

精靈的臉色變得蒼白，他問：『高速公路是要單線道還是雙線道？』

如果你是男性，對你而言，這一章是本書最重要的一章。不過對於你即將讀到的部分，也許你會心存懷疑，因此我們建議你，底下提到的每一點，你都可以找在你附近的女人來證明我們所說的對不對。

幾十年來，我們蒐集不少關於男女溝通的調查紀錄，並且以人類行爲科學解釋這些不同。我們調查不同國家、種族的男人。最後歸納出五個男人對女人溝通方式的疑問。這些秘密常被男人拿來做茶餘飯後的消遣，也是常讓他們感到不解的來源。但是，只要了解這些秘密，那麼就可以和異性達到另一層關係。底下是這五個問題：

一、爲什麼女人那麼多話？

二、爲什麼女人老想談問題？

三、爲什麼女人愛誇大其詞？

四、爲什麼女人講話好像都沒有重點？

五、爲什麼女人想要知道每件事的瑣碎細節？

一、為什麼女人那麼多話？

男人很難理解，爲什麼女人那麼愛講話。在《爲什麼男人不聽、女人不看地圖？》中，我們曾詳細說明這種現象，在這裡再做一次簡短的摘要。

進化過程中，女人和孩子整天都待在洞穴中。和人相處的能力以及建立起親密關係，對每個女人的生存而言都非常重要。男人在進化過程中，就是安靜的坐在山坡上，找尋移動的目標。女人一起行動時，她們會一直聊天，這表示她們是一個團體。男人打獵或釣魚的時候，沒有人會說話，因爲害怕說話會把獵物嚇跑。在現代，男人去釣魚或打獵時，仍然不會多說話。而現代女人聚集在一起時（逛街購物），她們也一樣是聊個不停。女人聊天不需要理由，也不需要任何目的。她們聊天只是想拉近彼此的關係。

底下是男女交談時，大腦的核磁共振顯像。黑色的部分就是大腦中有在活動的區域。

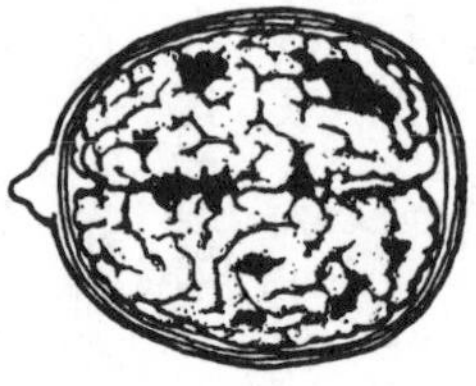

男性

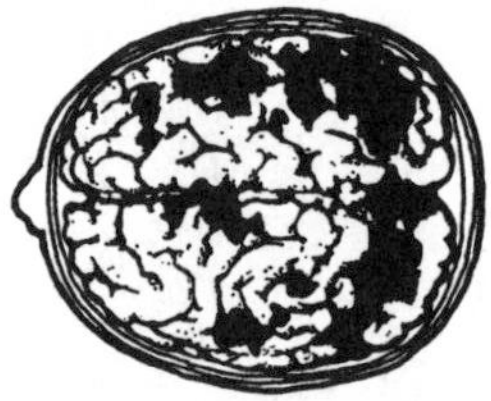

女性

大腦的說話與語言區域

倫敦精神病學研究所，2001 年

大腦的掃描顯示，說話以及語言能力，占了女人大腦大部分的區域。在《爲什麼男人不聽、女人不看地圖？》中，我們曾說，女人的大腦讓她們可以在一天之中，毫不費力的說出六千到八千字。相對的，男人一天最多只能說兩千到四千個字，這樣你就能知道，爲什麼女人強大的說話能力，會在夫妻之間引起許多問題。有工作的男人大約在下午的時候，回家之前，就把該說的話全部說完了，但是待在家中的女人卻還有四千到五千字沒有說！兩個女人可以在相處一整天後，還能講電話講上幾個小時。男人對這事的反應是：『妳爲什麼不趁和她在一起時，一次把話通通說完呢？』

對於處理說話以及語言能力功能不強的大腦，通常都會產生顯著且特定的言語問題：患有口吃的男性約是女性的三到四倍，而有嚴重閱讀障礙的男性，約是女性的十倍。

男人大腦的形成，是爲了解決問題並且能想出解決辦法的。說話和語言對男人而言，是用來述說事實和資料的。大部分的男人都是『有話要說時才會說話』，也就是說，他們想要說明事實、資料，或是解決辦法的時候才會說話。由於女人『說話』的方式和男人不同，因此造成兩性之間嚴重的溝通問題。女性『說話』是爲了拉近和別人的關係。簡單的說，如果她喜歡你，或是深愛你，如果她欣然同意你說的話，或是想讓你知道，她接受你，你對她來說很重要，她就會和你說話；相反的，如果她不喜歡你，她不會和你說話。

男人的大腦是往解決問題的方向發展的。
女人的大腦是朝進行社交活動的方向發展的。

男人只有在覺得另一個男人知道解決方法的情況下，才會跟他講自己的私人問題。如我們之前解釋過的，被問的男人會覺得很榮幸，他會說出自己的想法，並提出解決方法。然而女人就不一樣了，和人交談的目的，也許是想拉近關係，並不是要求解決方法。不幸的是，男人總認爲女人不知道怎麼處理問題，才會來跟他討論，所以常打斷她的話，提出解決方法。

難怪女人都說男人老是打斷她的話，不讓她說出自己的想法。從女人的立場來看，男人一直提出解決辦法，讓她覺得彷彿他總是對的，而她老是犯錯。可是在女人跟人說她的情緒或問題時，她是在表示對那個人的信任，就因爲信任，她才會跟他分享。

女人告訴你私人秘密時，她不是在抱怨——而是意味著她信任你。

如果她不喜歡或是不愛那個人，不同意他所說的話，或是想要懲罰那個人，她就會不說話。沈默是一種懲罰的模式，而且用在別的女人身上時，會是很有效的策略。這個策略對男人不管用——他會覺得家裡『寂靜安寧』是個意外收穫。所以當女人威脅說：『我不再跟你說話了！』應該是挺嚴重的——但不是字面上的意思。

女人用沈默來懲罰男人。可是男人喜愛沈默。

如果女人想要懲罰男人，最簡單的方法就是不停的跟他說話，還要不斷的更換話題。

給男人的解決辦法

請務必要了解，女人『說話』的主要目的，就是說話。她只是想藉著述說自己一天的遭遇來讓自己舒服一點，並且拉近和你的關係——並不需要解決方法。你只要聽她說話，鼓勵她就行了。男人說話的內容並不重要，重要的是男人的參與。

給女人的解決辦法

如果妳想和男人聊聊天，就先定下時間，告訴他，妳只想要他聽妳說話，不需要他提供任何解決方法。不要用沈默來對待男人，他根本不會注意到妳沒和他說話，妳反而還會因此而不高興。他喜歡這種安靜的時刻，因爲他可以休息。如果妳有事和他談，那就直接提出來。

二、為什麼女人老想談問題？

女人的壽命平均比男人長七年，主要是因爲她們有比較好的抗壓能力。男人想紓解一天的壓力時，會想別的事，或是做別的事。他那只能處理單一事情的大腦，讓他只能專注在看報紙、電視、在花園澆水、上網瀏覽，或是做模型船，藉著一次做一件事來排除心中的煩惱。有壓力又沒別的事可做的男人，會獨自呆坐在他的石頭上沈思，不說話，試著想出解決問題的方法。這種做法很危險，因爲壓力沒有紓解，可能會造成像腹瀉、便秘、胃潰瘍，或是心臟病等壓力病——但願這些病不會同時爆發。女人紓解壓力的方法，是不停的說出她們的問題，從頭到尾講，再從尾到頭講回去，還從不同的角度講，沒有講出任何解決方法。談論自己的問題是女人紓解壓力的方法。如果有男人和她們一樣，那麼其他男人會認爲他沒有能力解決，在問該怎麼解決……那麼他們便會馬上提出解決方法。

實例探討：麗莎、喬、半夜爭吵

麗莎和喬剛住在一起時，兩人經常吵架。而且是越吵越激烈，越吵越久，常常吵到半夜。問題在於麗莎認爲夫妻的爭執應該在睡前解決，不應該帶著問題去睡。上床睡覺前，他們就應該握手言和。所以她就一直提、不停說他們在爭論的問題——然後就引發另一場爭執。喬實在不知道該怎麼處理。他寧願吵架後睡一覺，隔天起床忘光光。

麗莎想要減輕自己的壓力，而且急於取得讓兩人都滿意的結果；喬則是覺得他們只是繞著一個問題轉。在這一天將結束的時候，他該說的話都已經說完了，他不想再吵下去。

我老公和我決定，問題沒解決，絕不上床睡覺。有一次，我們整整六個月沒闔眼。

——菲莉絲・迪勒，美國女演員

男人實在是搞不懂，爲什麼女人在吵架時非要把事情說清楚不可，而且特別喜歡挑半夜的時候。女人的大腦其實像個通訊電腦，所以注重事情的過程。女人喜歡從各個角度來談論她們的行爲，以及她們的感覺。但男人並不喜歡這樣做。他們寧願在吵架後，就放著不管它。他們喜歡回到自己坐的石頭上，然後思考別的事情。

關於和女人吵架，目前有兩種理論。兩種都沒效。

——羅德尼・丹格菲德，美國男演員

不管發生什麼爭執，女人都會想辦法平息。她們認爲，說清楚才能讓每個人的感覺好一些。男人則認爲再說下去只會讓事情更糟。

解決辦法

女人想把問題說清楚時，即使聽起來不太合理，但請記住，她必須經過這個過程，才會讓她自己舒服。耐著性子聽她說，並且告訴她，她需要你時，你會在這裡傾聽。這比試著解決不存在的問題簡單多了，而且還能爲你贏得不少分數。

女人想讓男人知道的事，

第一〇五號：女人在六或八個月前說過的事，是會出現在眼前的爭執中的。

如果你無法做出及時回應，溫和地問她，可不可以把這件事留到改天再討論，等情緒沒那麼激動的時候。你可以說：『抱歉，親愛的，可是現在的我腦袋很不清楚，實在沒辦法弄清楚這個問題。我們能不能明天／週末／下個禮拜再說呢？給我一點時間想一下好嗎？』這可比什麼都不說要有用許多，而且還能暗自期望，她已經說完了。不過，那是不可能的。

三、為什麼女人愛誇大其詞？

不管男人女人，講話都是會誇大的。不同的是，男人誇大的是事實和資料。女人誇大的是情緒和感覺。男人也許會誇張的描述自己的工作有多重要，他賺的錢有多麼多，或是釣到多大條的魚，他車子的性能有多棒，或是有多少漂亮女人和他約會過。女人會誇大的，是她和別人對某人發生的事的感覺，或是對於某人說過的話的感覺。和男人相較之下，女人的大腦會注意的是人，以及她們對生命的夢想和感情生活，她們會誇大的，就是和這些有關的事情，這樣聊天會更有趣。

女人說話誇張，以及誇大情緒是很常見的，和別的女人聊天時，她們也完全能接受這種現象，這是女性社會的組成結構之一。很多女人喜歡做白日夢，想像英俊的騎士騎著白馬飛奔來帶走她們，然而最後往往都碰上紅髮、滿臉雀斑、拿著啤酒的電腦工程師，而且還是在星期六晚上，在白馬酒店遇到的。

根據社會學的研究，證明女人最大的幻想，就是一次有兩個男人。

在這個幻想中，一個男人負責下廚，另一個負責打掃。

底下幾個誇大說法，是女人最常用的：

『我告訴過你幾百萬次了，你用過的濕毛巾要撿起來。』
『每次看到她穿那件衣服，我都好想死！』
『你每次都這樣對我。』
『我再也不跟你說話了！』

女人的誇張說法會令男人沮喪，因爲他的大腦是依據事實和所得到的資料來了解事情，所以他會以字面上的意思進行解讀。例如：如果你在她朋友面前否決她的意見，稍後她可能會跟你說：『你「老是」想讓我出醜，從來不讓我有自己的意見！你「總是」這樣對我！』男人會把這種話當眞，然後辯稱自己「沒有總是」那樣做，還舉例爲自己辯護：『事實才不是那樣！昨晚我就沒有，而且已經有好幾個月，我都沒有否決過妳！』你的抗議會被她駁回，你什麼時候犯過同樣的錯，她會把時間、地點，以及日期全說出來。你覺得自己受到傷害，憤憤不平的走開。然而你是不是眞的有冒犯她，這其實並沒有關係。她只是想讓你在她的朋友面前，證明你是關心她的。她誇張了自己的情緒，而你是根據事實和資料來反對她所說的話。

我希望能有一百萬個男人——但必須一個一個來。
——梅・魏斯特

撇開女人說話的能力不談，想和女人溝通，還需要靠肢體語言來傳達並接收訊息。肢體語言表達出女人的情緒狀態，而且在大多數女性的談話中，佔有六到八成的影響力。從男人的角度來看，女人在說話時好像都會揮舞手臂，而且臉部表情、肢體動作都相當豐富，連講電話時也一樣。語調傳達她的意思，女人在交談時使用的語調有五種之多——男人只能分辨出其中三種。在女人的交談中，字眼的意義只佔百分之七到百分之十左右。因此要判別女人的談話內容，不能從所說的話著手，因爲大多數的訊息都不是說出來的。在交談中使用不適合的字眼，對女人來說不會有任何困擾。對女人而言，情緒和感覺以及肢體語言、語調才是重要的，這些才是主要溝通頻道。

女人的誤會是怎麼產生的

女人在心裡重複想一個情節時，她便會以爲那是眞的。底下是潔西卡的來信，從信中可以看出這種情形是如何發生的：

路克和我決定在星期六晚上六點左右，到我們倆最喜歡的餐廳用餐。那天路克和同伴去踢足球，我則和女性朋友共度美好的下午，和路克在一起後，我就很少出來了。我們整天都在逛街血拚，一起吃午餐，喝咖啡，聊些有的沒的事情。時間過得很快，我有點來不及趕到餐廳。我曉得這餐的氣氛會很浪漫，心裡很興奮，很期待看到路克。

我到達餐廳時，他已經坐在裡面了，兩眼直盯著窗外。我爲了遲到了而跟他道歉，告訴他我今天和朋友一起，過得很愉快，還讓他看我買了哪些東西。我送他一份特別的禮物

——一對漂亮的金色袖釦，和他今晚穿的西裝很襯。他只喃喃說了聲『謝謝』就把袖扣放進口袋裡，然後一語不發的坐在那裡。

他的情緒很怪，我以爲他不說話是在懲罰我遲到，或是想讓我緊張。這頓晚餐我們兩人根本沒說話，而且很悶。感覺他像在幾百萬里外。我們決定回家再喝咖啡。回家的路上，車子裡很安靜，現在我知道，我們有很嚴重的問題。我坐在車上拚命想，試著找出是什麼問題，最後決定回家後再提出來問。我心裡有些懷疑，不過我還不想說出來。

到家後，路克直接走進客廳，打開電視，兩眼茫然的盯著它看。從他眼裡流露出的訊息，彷彿是在說我們完了。我終於明白，這陣子我所懷疑的事情是眞的——他一定有別的女人了，他在想她，不過他不想告訴我，也不想傷害我。肯定是那個叫黛比的賤人，她總是穿著迷你裙上班！我看過她每次走過路克面前都是扭腰擺臀的，他一定以爲我是笨蛋，沒注意到他看著那個賤人，還對她露出傻笑的樣子。他們以爲我瞎啦！哼，我就和他一起坐在沙發上，坐了十五分鐘，後來我實在是受不了。我先上床。十分鐘後，路克也來了，讓我訝異的是，他竟然擁抱我。他沒有拒絕我的主動，我們做愛了。可是完事後，他只是翻過身睡著了。我好沮喪，好害怕，躺了幾個小時都沒睡，最後哭著睡著了。感覺一切都要結束了……

路克那晚在想的是：英國隊輸了。不過剛剛那場嘿咻還眞不賴……

解決辦法

如果你是男人，就務必要明白，女人在交談時一定會誇大自己的情緒，你別把她們的話當眞。別稱呼她是『戲劇女王』，也不要在有別人在場時糾正她。只要後退一步，試著去聽她眞正的感覺，不要告訴她該怎麼想或該怎麼說。而女人需要了解，男人是照字義解釋的，因此女人要記得盡量貼近事實，不要太誇張，特別是在談生意的時候，因爲不僅會讓人困惑，甚至可能造成損失。

四、為什麼女人講話好像都沒有重點？

男人覺得女人老是含含糊糊的，不然就是愛兜圈子，而不是直直的切中主題。有時候男人覺得自己好像必須去揣測她的心意，或者是該當個會讀心的人。這種含糊曖昧就是眾所皆知的迂迴說話。這封信來自一位男讀者，看了這封信就能明白男人的感覺了：

我老婆把拐彎抹角的說話方式當成一種藝術了。拿昨天來說吧，她在廚房裡摸東摸西的，還說：『今天的員工會議上，我的主管說：「不要吃義大利香腸。」』

『啊？』我說：『她說義大利香腸怎樣了？』

『不是她，是你。』她生氣的回答，『我不要你吃義大利香腸。我要留著它。』

我一臉呆滯的杵在那裡，試著從佈滿灰塵的腦袋中，找出我們的談話內容，找出她說過的話，找出她的上司到底說了什麼。

她總是這樣。弄得我必須在一堆話中標上記號，這樣我才能從她目前片斷的話語，往前找出銜接的部分。她能輕易地同時進行四、五種不同的話題，讓我追得很辛苦。她的女性朋友好像都沒有問題，都能夠跟得上，可是那害我和兩個兒子很傷腦筋。像她這麼聰明的女人，爲什麼說話時會這麼的不專心呢？

『晚上要不要去看電影？』她問。我記得她問過，而我的回答是『不行』——車庫裡有事等著我做。差不多過了一個小時，我發現她沒跟我說話。我問她怎麼了，她說『沒事』，可是還是沒說話。我再問她，她含著淚喊著：『你都不帶我去看電影！』喂，慢點——我以爲被邀去看電影的人是我，不是她！

今天我抱著一堆衣服走進車庫，我說：『等一下我得去一趟五金行。』

我埋頭做事，大約忙了半個多鐘頭，這段時間內，我洗了衣服，挪開一些箱子，還清理架子。我在心裡清點一下從五金行回來後要做的事。我回家後，她抬起頭問我：『爲什麼？』

『啊？什麼爲什麼？』我問。

『你需要什麼？』

『我不需要什麼啊！我們到底在說什麼啊？』

『如果你不需要什麼，那你幹嘛去五金行？』她質問，雙手交叉，擺出已婚男人都熟悉的『你到底在耍什麼把戲』的姿勢。

喂，這是多久以前的話題了呀？我的對話緩衝器裡已經裝了不少要說的話了，而且就我所知，我說要去五金行，已經是很久以前說的了。可是對我老婆來說，那事並沒有解決，所以它還放在倉庫頂端，她以爲我也是。

等我們終於把事情說清楚了，她堅稱我沒在聽她說話，而我有點相信她說得對。等吃完我的義大利香腸三明治後，我會好好回想一下。

備感挫折的雷蒙

女人絕不會直截了當的說話，總是會拐幾個彎。她想要什麼，會用迂迴的方式表達，讓你去猜。雷蒙的妻子同樣也是多軌式的思考方式，因此他完全摸不著頭緒。

女人用迂迴的方式說話，是有她們的目的——建立關係，以及和別人保持和諧的關係，避免衝突、爭論，以及對質的情形發生。從進化的觀點來看，暗示說話法讓女人不會跟人發生爭執，而且不會表現出支配欲強或是盛氣凌人的樣子，這樣才不會讓人反感，才能建立友誼。這種方式不管到世界哪個地方，對女人都合用，都能維持彼此的和諧。

女人用迂迴法跟別的女人說話很少會有問題——女人總能抓出眞正的意思。可是跟男人說話，那就是一場災難了。男人說話總是直來直往，而且用哪個字眼，就是那個字眼的意思。如我們之前說到的，男人因爲狩獵的需要，大腦發展出單一且專注的運作方式。他們覺得女人說話沒有組織，沒有目的，而且很混亂，還指責女人不知道她們自己在說些什麼。他們的反應多半會是『重點到底是什麼？』所以男人跟女人交談時，是把她當做精神病院裡的病人，不然就是打斷她的話：『到底還要講多久？』

工作場合上的迂迴說話法

在工作場合上，女人的迂迴說話法，是會造成問題的，因爲女人多軌式、迂迴式的交談方式，會讓男人跟不上。做決定之前，男人需要清楚、有邏輯、組織良好的意見和訊息。女性的意見遭上司否決，常常是因爲她的上司不知道她想要表達的是什麼。瑪麗就是典型的受害者。

經過六個月的協調溝通後，瑪麗終於有機會向一個大客戶展示公司新的廣告企畫。觀眾有八個男人和四個女人，這是筆二十萬美元的大生意，而瑪麗只有三十分鐘來推銷她的創意。她知道自己只有一次機會。到了展示這天，瑪麗穿著剪裁合身，及膝短裙的上班套裝出席，頭髮也挽起來了，臉上化著自然的淡妝，而且她用 Powerpoint 練習過好幾次了，連睡覺做夢時都能夠熟練的利用它介紹企畫案。

她開始說明她的企畫，可是她注意到，男人是一片茫然的注視著她。她感覺他們正嚴格的批評她，爲了引起他們的注意，她開始用多軌式的方式進行她的說明，想藉著回頭看先前的投影片、迂迴暗示的說話方式，以及展現其中環環相扣的關係來激起他們的好奇。在場的女性用臉上的表情的變化，以及可以聽到的聲音，像『嗯』、『對！』以及『嗯嗯』來鼓勵她，還對她微笑，表現出她們很有興趣的樣子。在場女性的回應讓瑪麗感到興奮，便針對她們說明她的企畫，無意間，她忽略了同樣在場的男士。最後她的企畫展示變成耍猴戲。展示完，離開後，她覺得自己做得很好，熱切期盼著公司的回應。

底下是瑪麗離開後，那些男性主管在咖啡間裡的談話：

行銷經理：『你們有人聽懂她剛剛到底在說什麼嗎？』

總經理：『不懂……她弄得我一頭霧水。叫她送一份書面企畫上來好了。』

瑪麗在一群男人面前用多軌式的方式介紹她的企畫案，還用上迂迴暗示的說話方式，結果讓這群男人抓不到方向，不知道她在說什麼，也不曉得什麼和什麼有關連。至於女性主管，她們就很投入，還會提問題，可是男人不會舉手發問，承認他不明白。女人必須了解，要是男人不知道她在說什麼，通常他會假裝聽得懂，並不願露出他好像很笨的樣子。

在工作場合中，男人不懂女人在說什麼時，通常他會裝懂。

女人經常期望她們的男人會了解她們的迂迴談話，並且會加以解碼，能夠理解。不過男人就是做不到。不管男人的年紀多大，女人說話最好還是直截了當一點。給他時間表、日程表、大概的答案，以及期限。在工作上，女人和男人交談必須直接，一次給他們一件事情思考。瑪麗仍在等待回覆……

家裡常見的迂迴談話

當女人人說……	**她眞正的意思是……**
我們需要談談	我很煩惱／我有問題
我們需要	我想要
我很抱歉	你會後悔的
你來決定吧	前提是我能接受
我沒有生氣	我氣死了！
你必須學習怎麼和人溝通	只要同意我說的就行了
你愛我嗎？	我想要買某樣很貴的東西
你今晚眞體貼	難道你滿腦子只有性嗎？
你有多愛我？	我做了一件你不會喜歡的事
浪漫一點，關燈吧	我的大腿鬆弛了

實例探討：芭芭拉和亞當

芭芭拉要和朋友去逛街，她希望十六歲的兒子亞當能幫她打掃廚房。

『亞當，你願意幫我打掃廚房嗎？』她問。

『呃……好啊……』亞當不太情願地回答。

她和朋友逛完街回家後，發現廚房仍然像被炸彈炸過一樣亂。事實上，是比她出去前還要亂。她發怒了。

亞當辯解：『可是我是想，晚上我出門前再清啊！』

問題出在芭芭拉身上。她用暗示的方式說話，以爲亞當會明白，她要的是，當她和朋友回家時，廚房已經清理乾淨了。

她問的是：『你願意幫我打掃廚房嗎？』沒有一個十幾歲的男孩『願意』打掃廚房，亞當也不願意。

一個有期限的直接要求，像：『亞當，中午我逛街回來之前，請你把廚房打掃乾淨。』這樣保證會有較好的效果。

男孩不『願意』做家事——他們需要明確的指示才會去做。

這天晚上，芭芭拉跟亞當說：『我希望你睡覺前能讀一小時書。』這種不直接的要求，對女孩來說有用，但對男孩就不管用了。男孩的大腦接收到媽媽希望他去做的事，可是並不是命令他去做，所以他沒有照做。如果芭芭拉發現他在聽音樂，或是在看電視，也許兩人會發生爭執。直接清楚的命令，加上時間限制，是應付男性唯一有用的方法。

『亞當，我要你回去自己房間唸書唸一個小時，你睡覺前我會去跟你說晚安。』清楚直接的指示，產生誤解的空間便不大，而且男性也會感謝妳給他清楚的方向。許多女性認為直接的命令太盛氣凌人，感覺像是在和人對抗。用在別的女性身上，也許會那樣。不過對男性，直接說清楚是很平常的事，因為那就是他們溝通的方式。

解決辦法

給女性：迂迴說話方式，是和別的女性溝通的時候使用的。和男性說話時，要直接。剛開始也許不容易，可是多練習幾次，便能得到妳想要的效果，而且和身邊男性的爭執也會減少。

給男性：和女性交談時，如果你發現自己摸不著頭緒，那就放鬆坐好，聽她說，不要提供任何解決方法。

最差的情況，是給她時間限制，比如：『親愛的，我想看七點的晚間新聞，我現在可以專心聽妳說，但到七點就不行了。』你這麼做的話，通常她會把心中的話全說出來，而且會覺得很快樂，很輕鬆，而你什麼事都不用做。

一位讀者寄給我們一份《女性迂迴用語大全》，裡面蒐集了他們平常吵架時出現的話語：

『好啦』（Fine）——女人吵架時會用它當結尾詞，表示她認爲自己是對的，不過男人必須閉嘴。男人絕不能用『還好啦』來形容女人長相。那樣會引發爭吵，然後女人就會用『好啦！』做結束。

『五分鐘』——這表示要三十分鐘。等於男人說要去丟垃圾之前，把剩下的五分鐘足球賽看完一樣。

『沒事』——就是『有事』。『沒事』通常是形容女人的感覺，通常是想掐死男人的感覺。『沒事』常意味著會發生一場將持續『五分鐘』的爭執，最後以『好啦』結束。

『說吧』（go ahead）（眉毛挑高）——如果眞的說實話，女人就會生氣的說『沒事』，然後以『好啦』結束。

『說吧』（眉毛和平常一樣）——這表示『我放棄了』或是『你想怎樣就怎樣吧，我不在乎』。你會經過的流程會是：『說吧』（挑眉的），幾分鐘後是『沒事』，然後是『好啦』，接著約過『五分鐘』，她冷靜下來後才會跟你說話。

『長嘆』——這表示她認爲你是笨蛋，搞不懂自己幹嘛在這裡和你吵『沒事』的事。

『哦？』——話一開頭是『哦』通常表示她知道你在說謊。例如：『哦？你昨晚做了什麼，我已問過你弟弟了。』還有，『哦？我是不是應該相信呢？』她會跟你說『好啦』，然後把你的衣服扔到窗戶外，不過不要再試著說更多謊，否則你會得到『說吧』（挑眉的）的對待。

『沒關係』——這話表示她需要長一點的時間，好好想想該怎麼處罰你。『沒關係』經常和『還好』一起出現，而且還會配合『說吧』（挑眉的）。等到她一切都想好，計畫好了，你就有大麻煩了。

『請講』——這不是陳述，而是給你一個說話的機會。女人正在讓你有機會，為你所做的事提出藉口或理由。如果你沒講實話，她會說『沒關係』做爲結語。

『眞的嗎？』——不是在質疑你說話的正確性，她只是在告訴你，她一個字也不相信。你想要解釋，她會跟你說『請講』。你提的藉口越多，嗓門越大，她的『眞的嗎』也會跟著變多，然後會出現許多『哦』、『挑眉』，最後便是一聲『長嘆』。

『多謝了』——女人眞的厭倦你的時候，會說這句。這意味著你傷她傷得頗爲嚴重，而且跟在後面的會是一聲『長嘆』。『長嘆』過後，不要問她怎麼回事，因爲她會說『沒事』。等到你想和她親熱時，你就會得到一句『改天吧』。

五、為什麼女人想要知道每件事的瑣碎細節？

某天晚上，喬許在看報紙時，電話鈴響了。他接了電話，聽了大約十分鐘，偶爾咕噥兩句，然後說『好——好。再見……』就掛上電話，繼續看報。

『誰打的？』他老婆黛比問。

『羅伯特。我學校裡的死黨。』他說。

『羅伯特?高中畢業後你們就沒見過面了!他好嗎?』

『還好。』

『喔……那麼他說了些什麼?』她問

『沒什麼……他要……呃……他很好啦。』喬許的聲音透著些許厭煩，這是每個想看報紙的男人都會有的。

『十年沒見面，他打來就是想說他很好?』她質問。

接著她像個律師一樣，反覆盤問他，讓他不停的重述談話內容，直到她得知所有細節。對喬許而言，談話已經結束了，沒有再討論的必要。可是黛比想知道所有細節。

就喬許所知道的，故事很簡單——羅伯特十五歲就沒再唸書了，爲了撫養被拋棄的母親，他去當牛郎。他母親發現丈夫是變性人，而且準備要和她哥哥私奔時，整個人精神崩潰了。她自殺獲救後，羅伯特爲了忘記痛苦，他染上了毒癮，之後在莫斯科馬戲團中表演吞劍。一次奇怪的意外，讓他失去了睪丸，接著，他跑去加入法國的外籍軍團，後來又成爲傳教士，在阿富汗傳教，可是因爲宣傳基督教義而被逮捕，後來因爲他同意當塔利班的奴隸而重獲自由。一天夜晚，他躲在污水處理車的水箱中，沒有被人發現，順利的逃脫，現在和他的新婚妻子回到市內，他的新婚妻子原本是個女同志，曾當過妓女，後來又當修女。她希望羅伯特和她一起去非洲組一個痲瘋病患營——這是他等謀殺罪名不成立，從牢裡出來之後的計畫。他和七個領養的巴西小孩都是素食者，也是耶和華的見證人，他說他從沒像現在這樣，感覺這麼好過……他很好。

喬許認爲事情很簡單明瞭。主要就是羅伯特他很好——喬許不懂爲什麼非得要他把整個故事再講一遍。可是黛比偏偏要在他耳邊碎碎唸，任何細節都不放過，瞧她這不又……

這段談話顯示出男女大腦的基本差異。對男人來說，細節並不重要。然而以女人的想法來看，當男人話不多的時候，就意味著他不愛她了，對她而言，說話是用來聯絡感情的。可是男人卻認爲女人話太多，而且是在質問他。

打破沙鍋問到底是女人的天性

身爲人類家庭的守護者，女人需要確定她有親密的朋友，如果男人打獵或戰鬥後沒有回來，至少身邊有人可以照顧她。她的朋友就像她的保險策略。她的生存就靠她和別人相處的能力，而這表示，對於身邊每個成員的狀況，以及他們家人的情形，知道得越詳細，對整個團體生存更有利。

參加社交活動後，男人只要和女人討論一下，就會發現女人很清楚她社交圈裡面的人每個人的狀況、每位家人正在做什麼、他們這一年的夢想和目標、他們的健康情形，以及他們的感情狀況。她們也會知道朋友去哪裡渡假，以及他們的小孩在學校的表現有多好。男人會得到訊息是哪個人又買了新的『男孩玩具』，男人會徹底分析鮑伯的新紅色跑車、討論哪裡是絕佳釣魚地點、決定要怎麼制裁恐怖分子，以及討論英國如何在足球賽中擊敗德國……喔，是的……還有和艾莉．麥克芬森⑥一起遇到船難的傢伙的笑話。可是關於他們的私人生活——回家後女人會跟他們說的。

不是說女人愛管閒事……欸……就算是吧……長久下來，生存的本能已銘刻在她們腦中，所以她們想要知道身邊的人在做什麼，以及她們能幫上什麼忙。

解決辦法

如果你是男性，務必要了解女人需要知道每個人的細節和資訊，這是一種藉由人際關係以求生存的方式，而且這已經是她的本能。這麼一來，你在和女人交談時，可以盡量告訴她細節。穿上你的慢跑鞋，帶她去散步，一路上讓她說話就行了。這樣你還能有充分的運動。記著，你用不著專心聽，也不用提出任何答案——你這邊不需要做任何事。如果妳是女性，妳需要明白，太多細節是會讓男人抓狂的，而且會讓他們無聊死。在商業會議上，要一針見血，要簡潔明白。在家裡，告訴男人妳什麼時候想要談一談，給他一段時間，告訴他，他不用提供解決方法，只要聽就行了。還有，不要一直問：『你有沒有在聽我說話？』或是『我剛剛說了什麼？』

譯註⑥：Elle Macpherson，澳洲人，世界名模。

chapter 8

女性的性感魅力測驗

妳讓男人往哪一邊跑？

做個測驗

在一個人很多的室內，有個男人的眼神穿過人群和妳對上了，他對妳的反應究竟會是什麼？

這個疑問的答案從亞當遇見夏娃以來，女人就很好奇：男人第一次注意到妳時，他的第一印象是什麼？

很多女人想要知道，她們是怎樣吸引男人的，所以我們擬出了這個測驗來讓妳明白妳的魅力指數。

測驗完全以妳的體型、長相，以及儀態爲基準。

這個測驗會讓妳知道，妳是否能吸引第一次見面的男人。

測驗的問題是根據男性大腦對特定的女性體型、身材比例、膚色、高矮、外貌，以及肢體語言所產生的反應，來進行設定的。

至於個性的影響，稍後才會加以討論。

這個測驗就像男人看照片在評估妳。

問題並沒有按照特殊順序排列，以避免作弊。

請開始認眞答題吧。

一、底下關於身體的描述，哪一項最符合妳？
1、瘦／修長
2、運動型／結實
3、胖／酪梨型身材

二、第一次約會，妳會怎樣打扮來加強男人對妳的印象？
1、穿長褲或長裙，但打扮端莊。
2、放鬆心情，不會太講究打扮，穿舒適的鞋子。
3、打扮得很漂亮，穿短裙、高跟鞋來展現一雙長腿。

三、看看妳的衣櫥，哪種樣式的鞋子最多？
1、高跟鞋或有帶子的細高跟鞋。
2、鞋跟中等，但很時髦的鞋子。
3、很有型的低跟鞋或平底鞋。

四、如果妳可以買件新套裝，不用在乎價錢，妳會選擇哪一種？
1、可以遮住所有缺點的寬鬆長套裝。
2、短、緊身、低胸，可以展現本錢的套裝。
3、剪裁合身、優雅大方的褲裝。

五、量量妳的腰、臀，計算腰、臀的比例。
即用腰的尺寸除以臀部的尺寸。
例如妳的臀圍是四十吋而腰圍是三十吋，那麼所得到的比例便是百分之七十五。
1、超過百分之八十。
2、百分之六十五到八十之間。
3、百分之六十五以下。

六、當妳和一位讓妳膝蓋發軟、魅力十足的男性聊天時，妳會用哪種姿勢？
1、想辦法讓他坐下，這樣他才不會注意到我的身材。
2、雙腿不交叉，貼近他站著。
3、把玩我的頭髮、舔嘴唇、翹起臀部、輕撫身體以獲取他的注意力。

七、如果妳叫個陌生人形容妳的臀部，他們會怎麼說？
1、又大又重
2、平、扁，或是運動型
3、圓／水蜜桃型

八、用手摸摸妳的肚子，有什麼感覺？
1、結實／有肌肉
2、平滑／平坦
3、肥／圓

九、晚上要和女性朋友外出時，妳會選擇哪種打扮？
1、穿著寬鬆，看不出身材的衣服。
2、穿魔術胸罩，或是可以擠出乳溝的胸罩。
3、穿著剪裁合身，可以展現身材的衣服

十、說說妳的化妝：
1、一定要最新流行的顏色的風格。
2、我比較喜歡自然的樣子。
3、不管何時我都需要化濃妝，才能展現自己最棒的一面。

十一、如果畢卡索為妳畫肖像畫，妳會被他畫成什麼樣子？
1、瘦／有稜有角／有肌肉
2、許多曲線
3、圓

十二、如果妳要為《時尚》雜誌拍照，妳會擺哪種姿勢？
1、把妳的頭髮撩到頭頂上，轉頭看肩膀後方。
2、挺胸弓背，往側邊傾斜臀部，雙手放在臀部上，噘著嘴。
3、向前彎腰，縮起臀部，面對鏡頭給個飛吻。

十三、別人如何形容妳的脖子？
1、細長或越往上越細
2、長度和粗細皆中等
3、短、粗、強壯

十四、如果請朋友形容妳的臉，妳的朋友會說：
1、優雅／五官分明
2、娃娃臉／大眼睛
3、平凡但親切

十五、妳要去赴燭光晚餐約會，想讓自己很性感。會選哪種唇膏？
1、淺色／顏色自然的
2、亮紅色
3、最新流行的顏色

十六、妳要參加奧斯卡頒獎典禮，需盛裝打扮。妳會選的耳環是：
1、鑽石或大珍珠。
2、鑲有美麗寶石，大小適中的耳環。
3、鑲著許多鑽石，長長的，會搖晃的耳環。

十七、男人會怎樣形容妳的眼睛？
1、大／像小孩子一樣
2、杏眼
3、小／瞇瞇眼

十八、對著鏡子看自己的鼻子。漫畫家會怎麼畫妳的鼻子？
1、大
2、小，像釦子
3、普通大小

十九、我的頭髮是：
1、長髮
2、中髮
3、短髮

二十、妳會怎麼形容自己的外表？
1、舒適
2、性感
3、優雅

妳的分數

問題一
1、5分
2、7分
3、3分

問題二
1、5分
2、3分
3、7分

問題三
1、5分
2、3分
3、1分

問題四
1、1分
2、5分
3、3分

問題五
1、5分
2、9分
3、7分

問題六
1、1分
2、3分
3、5分

問題七
1、3分
2、5分
3、7分

問題八
1、5分
2、3分
3、1分

問題九
1、1分
2、5分
3、3分

問題十
1、3分
2、5分
3、1分

問題十一
1、5分
2、7分
3、3分

問題十二
1、3分
2、5分
3、1分

問題十三
1、5分
2、3分
3、1分

問題十四
1、7分
2、9分
3、5分

問題十五
1、3分
2、5分
3、1分

問題十六
1、1分
2、3分
3、5分

問題十七
1、9分
2、7分
3、5分

問題十八
1、5分
2、9分
3、7分

問題十九
1、5分
2、3分
3、1分

問題二十
1、1分
2、5分
3、3分

請計算一下總分，再看看下頁有關魅力指數的說明。

一百分以上

性感的妖女

男人一看到妳就被妳勾了魂，願意跟著妳走。建築工人看到妳，會停止手邊的工作，對著妳吹口哨。妳是走路的行家，走起路來性感撩人，絕不缺約會的對象。男人喜歡看妳，接近妳。妳知道怎麼展現自己，以及如何運用肢體語言來控制男人。下一章，妳會明白妳行爲的結果背後的原因，讓妳可以再爲自己加分。來，用性感的姿勢行個禮吧。

六十六到九十九分

優雅小姐

大多數女人分數落在此區。這意味著男人第一眼看見妳時，會被妳吸引的機會頗大。建築工人停下來吃午餐時會注意到妳。如果妳的分數在七十八到九十九之間，妳只要多走幾步，就能夠迷倒他們。如果分數是在六十六到七十八之間，妳只要在外表上多下點功夫，就可以更引人注目。下一章會教妳怎麼做才會讓男人一眼看到妳時，一定被妳吸引。

六十五分以下

妳是男人的好哥兒們

建築工人會跟妳講黃色笑話。妳也許認爲個性比外表重要，在某個範圍內，妳的想法並沒有錯。可是問題是：碰到白馬王子時，妳要怎麼用妳的智慧與魅力來迷惑他呢？妳可以改變自己的打扮方式，而且不用放棄自己的原則。

比如說，妳可以上健身房鍛鍊妳的身材，除了增加妳對男人的吸引力，讓身材變得更好，還能讓妳更健康，並且增添生活趣味，一舉數得。吸引男人的注意就變成額外的好處啦！妳也可以從穿著來加強自己的優點，掩飾身材的缺點。妳也許會說，妳對這麼膚淺、這麼容易就被肉體外表所誘惑的男人沒有興趣。

可是問題是，即使是很有智慧、判斷力強的男人，還是會受到他們的生理擺佈，至少一開始是這樣。顯著的女性特徵會吸引男人的注意，對他們而言，這是很自然的。何不好好利用這一點，不管妳有多不喜歡，好好打扮自己，這麼一來，不就有不同的男人可以讓妳選擇了？

下一章會教妳如何增加自己的吸引力，並告訴妳爲何男人會對那些ＩＱ指數比鞋子尺寸還小的女人目不轉睛，而對妳卻不會多看兩眼。

chapter 9

為什麼男人的眼珠會掉出來？

女性性感魅力的影響

平平是女人，
但為什麼只有她特別亮眼？……
男人真是視覺性的動物！

實例探討：金和丹尼爾的故事

金和丹尼爾交往一年後，兩人決定結婚。兩人的感情很好，雙方都認爲對方是很好的伴侶。丹尼爾每次和金見面時，金總是打扮得很漂亮，丹尼爾很喜歡她那樣，而且金的外貌讓他覺得，自己的選擇沒有錯。金告訴他說，她喜歡爲他打扮，也喜歡每次她走進房間，丹尼爾愛慕的盯著她看的感覺。結婚四年後，金變了。她似乎不再在意自己的外表，不管是在家或是和朋友外出。金覺得自己是已婚婦女，不用爲了要給人好印象而刻意打扮，而且打扮是在浪費時間、金錢，和精力。

下班回家後，她通常穿著粉紅色棉織浴袍和拖鞋，沒化妝，頭髮也沒梳。丹尼爾想，也許是因爲她上班太累了吧，過一陣子之後，她在家也會稍微打扮一下吧。但是日子一天天過去，他開始覺得有點生氣了，上班她會打扮得很體面，可是在家她就很邋遢。而且不久之前，她開始會和他們的朋友一起出去，可是她的穿著打扮還是一樣糟糕。她不再化妝了，也不刮腿毛，穿的衣服讓丹尼爾覺得，她把自己搞得很像她媽媽。丹尼爾越來越沈默，他壓抑心中的不滿。金的行爲讓他認爲，他的朋友不夠重要，所以金才用不著費心打扮自己。

男人是視覺性動物。金的外表澆息熱情，丹尼爾避開她，不想和她親熱。兩人的婚姻漸漸出現裂痕，丹尼爾開始注意別的女人。在他的辦公室中，許多女人穿著剪裁合身的套裝，從頭到腳都有打理過，而且有化妝。她們會在他面前賣弄風情，這滿足了他的自尊，更跟他回家時金看他的表情形成強烈對比。

他決定把自己的感覺跟金說清楚。金一聽到他這麼說時，很生氣，不明白為什麼他就不能愛她原來的樣子。顯然她認爲丹尼爾太膚淺，她以前不知道丹尼爾有這麼膚淺。丹尼爾沒辦法說清楚自己的感覺，而且很後悔提起這件事。

六個月後，丹尼爾離開金，目前和同一辦公室的碧玉一起生活。金則和一群認爲男人都是混帳的女人混在一起。

不管喜不喜歡，我們的外表的確會影響到我們的吸引力，是否有能力留住伴侶的心，也需要靠外表。我們和人初見面的前四分鐘內，百分之九十的印象會在這段時間內形成，而對我們外表的評定，則是少於十秒。這一章我們將會研究男女互相吸引的原因。不是說長得不像卡麥蓉・迪亞茲或布萊得・彼特，就不能吸引異性。不過藉著了解異性如何相吸的道理，並懂得運用一些技巧，突顯你的優點，就能讓你輕輕鬆鬆的變得更有吸引力。我們會從生物學的角度解釋，從遠古時期，爲了生存，生物會發出吸引異性的訊號，而這個運作方式已潛入我們的潛意識中，所以我們沒有辦法抗拒它所引起的反應。從進化心理學的角度來分析，我們祖先的生活方式、習性模式，以及行爲反應，都殘留在我們大腦中。異性相吸，進而繁衍後代，是生物進化的方式。

因此最具影響力的，到底是美貌與肉體的吸引力，還是個性與才智呢？這一章我們兩種都會討論到。爲了更有效率，爲了盡量求客觀公正，我們將浪漫愛情的理論放一邊，不考慮男女平等，以及個性特色等等因素。

美麗理論

花朵之所以漂亮是有原因的。花朵之所以鮮豔多彩，是爲了在一片綠色的森林中引人注意。花朵把自己本身的訊息傳達給動物和昆蟲，告知牠們哪裡有食物以及食物的狀況。人類也覺得花朵很美麗。對美麗事物的這種反應，讓我們產生能夠分辨植物和花朵的能力，也是我們求生存所必須的。我們必須知道水果是否成熟，是酸是甜，是否有毒，或是有沒有危險。同樣的判斷過程，也會應用在判別人類的美醜上。

每個人都會發出某些特別的訊息，有具體的，也有無法察覺的，它們有助於讓人找到自己的另一半。這些帶著密碼的訊息傳達出去後，再收回來，目的就是讓別人知道，他們有多合適自己。在男人方面，從生物學的層次來說，當女人展現的特質，讓他感覺這個女人能爲他傳宗接代，便能夠吸引他。在女人方面，能夠吸引她男人，在生物學上，是在懷孩子的時候，能夠提供食物、滿足她的需要的男人。所以女人常會被年紀較大的男人吸引。

女人喜歡較年長的男人，因爲他們的人生經驗豐富，擁有的資源也較多。

不管男女，這種對異性吸引力的原始反應，已是牢牢刻在大腦中的。美麗性感基本上都是一樣的，『美麗』的本意就是『性刺激』。進化讓我們的大腦認爲，長相好代表的就是身體健康，沒有生病，就生物學來說，美麗的目的，就是爲了繁衍後代。

稱讚別人漂亮，或是迷人，從生物學來看這話潛藏的含意，就是你想要和他們發生關係。

科學證據展現了什麼

研究顯示⑦，看到漂亮的人，我們便很容易認爲他們很誠實、聰明、仁慈、有才能，而我們並沒有察覺到自己下了這些評斷。多倫多大學分析一九七六年加拿大聯邦大選的結果，發現有魅力的候選人，得票數是沒魅力的候選人的兩倍半。再調查投票人，發現有七成三的人強調，候選人的外表不會影響他們的選擇，只有八分之一的投票人承認，候選人的外表有可能會影響他們的投票意願。這意味著他們投票是受到潛意識的控制，自己甚至沒察覺。

作者註⑦：研究者爲Eagly, Ashmore, Makhij and Longo.。

有魅力的人會得到好工作，薪水會比較高，而且較讓人信任，比起沒有魅力的人，他們還能經常不守規則而不會受罰。

柯林頓證實了這一點。

或許否認長相會影響我們的決定，才是政治正確的，但不管我們喜不喜歡，事實都證明，我們的確是會受到影響，我們的大腦就是會對別人的長相產生反應。不過幸好，外表是我們能夠掌控的因素，如此便能依你所願，扭轉情況。你可以選擇讓自己更有魅力。

女人的胴體——哪種會讓男人血脈僨張

十九世紀西方國家認爲女人『美麗』的標準在於膚色白皙、兩頰上有淡淡胭脂，整體的感覺應展現女性的優雅與纖弱。現今『美麗』的標準是強調年輕、健康，而舉辦的各種選美比賽正是希望表現女性的健康美。

麻省綜合醫院的腦科研究人員拿『美女』照片給異性戀男性觀看，發現他們大腦活躍的部分，和吸食毒品與看到金錢時的部分一樣。

接下來兩章，你將會看到二十三項重要研究結果，而且實驗顯示，男人和女人都會受到對方肉體的吸引。依據這些結果，我們在身體的每個部分標上魅力指數，這能夠解釋為什麼身體某個特定部位，會對人產生影響。

近六十年來，每個探討人類魅力的研究，都得到相同的結論，過去六千年來，對畫家、詩人，以及作家而言，女人的長相和身材，以及她在那上面所下的功夫，遠比她的才智與財產來得有吸引力，即使到了男女平等的二十一世紀也一樣。二十一世紀的男人和他們的祖先一樣，想要從女人身上得到感官的滿足，不過，你將會看到的，男人對終身伴侶的要求是不一樣的。

娶妻娶德，納妾娶色。——中國諺語

然而，男人是吸引女人的方式，卻和女人吸引男人有很大的不同，我們稍後會談到。重要的是要了解到，女人的身體已進化成隨時隨地在運作的性感訊息發射系統，而目的就是要吸引男人的注意力。

男人重視外在更勝內在，因為多數男人的視覺能力遠勝過思考能力。

——潔曼・格里，澳洲女性主義者

記住，我們只是從身體特徵結構進行分析，就好像是透過照片在相親一樣。即使你與某人素未謀面、沒交談過，也不會相識，你卻已經會受這些因素所吸引了。本章後面還會討論到我們在挑選另一半時，一些和外貌無關的影響因素。我們會先分析脖子以下的肢體語言，接著我們再集中探討所有的臉部表情，列在本章結尾。讓男人興奮的第二、七、八，和九這四個部位，會留在那時論述。

讓男人興奮的特徵，照先後順序排列：

一、運動型身材，二、性感的嘴唇，三、豐滿的胸部，四、長腿
五、翹臀／纖腰，六、渾圓的臀部，七、迷人的雙眸，八、長髮
九、小巧的鼻子，十、平坦的小腹，十一、弧形的背，十二、弧形的陰處
十三、修長的脖子

特徵一：運動型身材

最能吸引男人注意力的女人，就是擁有運動型身材的女人。健康結實的身材代表身體健康，也是有傳宗接代能力的象徵，生產時不會有危險。多數男人喜歡有點肉的女人，較不喜歡瘦骨嶙峋的女人，因爲胖胖的表示有較多的乳汁哺餵嬰兒。很少有女人知道，性感

偶像之一，瑪麗蓮・夢露，不只胸部豐滿，她的腿也很結實。營養不良的流浪兒是不可能成爲性感偶像的。

特徵三：豐滿的胸部

十八、九歲到二十出頭的女人的胸部，是男人的最愛，因爲這時的胸部既性感，又代表正值生育顛峰時期。這類胸部的裸照，最常出現在男性雜誌中，或是脫衣舞孃，以及賣情趣用品的廣告中。

胸部的大小和脂肪組織有關，脂肪讓胸部的形狀渾圓，但和乳汁分泌無關。尚未生小孩的女人乳頭是粉紅色的，當上母親後顏色會轉成暗褐色，而像猴子之類的動物，即使是母的，也是沒有乳房的。

靈長類動物的胸部會隨著懷孕與否而產生大小變化，而且變化非常大，可是人類女性的胸部大小一直都維持在放大的模樣，只有在懷孕時會有些許變化。大多時候胸部只有一個作用——辨別性別。

人類還沒學會用雙腳走路時，是由渾圓豐滿的臀部負責吸引男性注意，當時是從背後進行交配的。現在人類挺直腰桿，用雙腳走路後，爲了吸引面前的男性，胸部就變大了。

低胸的衣服，以及有托高集中效果的胸罩，造成了乳溝，讓這個性特徵更顯著，而這是從模仿女人臀部而來。

有些女人知道乳溝的意義後大驚失色，有些人則是會善加利用。

胸部小測驗

很少有男人能夠分辨乳溝和股溝的差別。

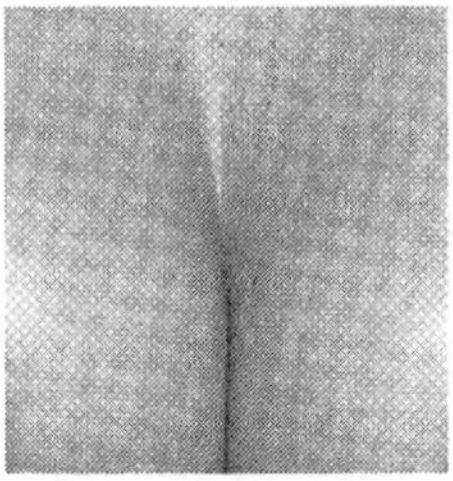

哪個是胸部，
哪個是臀部？
你能分辨嗎？

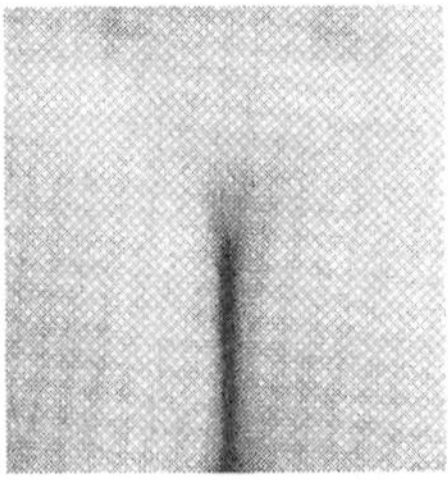

動物學家德斯蒙德·莫里斯發現，兩百個女人中，就會有一個有兩個以上的乳房，和靈長類一樣，從前人類會生許多小孩，爲了方便哺乳而演化出來的，有兩個乳房以上就是那時遺留下來的。從米羅的作品維納斯中，在她的右乳房，靠近腋窩的地方，可以看見第三個乳房。

爲什麼男人很難看著別人的眼睛？因爲胸部沒有眼睛。

乳頭周圍有粉紅色或褐色的乳暈，乳暈中包含少許腺體，在男歡女愛之時會分泌出能刺激男性大腦的氣味。這說明了爲什麼男人喜歡把頭埋在女人胸前。

所有的研究都顯示，不管乳房的大小、形狀如何，男人都會喜歡。無論是如檸檬般的小乳房，或是如西瓜般的巨乳，只要是胸部，大多數男人都會喜歡，而且他們很愛看見乳溝。

特徵四：長腿

擁有一雙修長美腿的女人通常會留給男人深刻的印象。其中的道理其實很簡單。腿越修長看起來就越性感，因爲吸引注意力的是兩腿交會之處。相反的，如果女人的性器官是在腋窩下，那麼男人就不會去注意到她的腿了，而是注意到她有健美的二頭肌和三頭肌。就因爲如此，從沒有人聽過男人稱讚女人有漂亮的長手臂。剛出生的嬰兒雙腿和身體相較之下，顯得很短，成年之前，腿和身體的比例不會有多大的改變。不過女孩進入青春期後，荷爾蒙開始分泌，她的腿迅速增長，讓她轉變成女人。修長的雙腿成爲明顯有力的象徵，讓男人知道，她已經成熟，有生育的能力。所以長腿總是能成爲性感特徵。

對女人而言，長腿是通往生育的階梯。

對男人而言，長腿是通往天堂的樓梯。

進入環球小姐和世界小姐決賽的佳麗，雙腿都比一般女人修長。芭比娃娃那一雙長腿是靠人工特別拉長的，製造商只要拉長照片中模特兒的腿長，或把人形模特兒的腿長拉成不可思議的長度，那麼銷售量就可望大增。有女初長成的母親常抱怨女兒穿的裙子太短，但這是因爲女孩的腿太長，才會造成這種錯覺。到了二十歲後，她的身體成長暫告一段落，使得她的腿有可能看起來比青春期還短十分之一。

大部分女人天生就曉得長腿背後的意義，在青春期就學習到如何利用這一點，常常是穿著高跟鞋讓腿看起來更修長，即使天氣寒冷也穿著短裙。她們無視於穿高跟鞋的不舒服，以及長期穿下來會傷到脊椎的危險，也無懼於感染發炎的可能，只是想讓外表能夠吸引男人。男人喜歡穿高跟鞋的女人，因爲那讓她看起來有一雙少女的美腿，而且還暗示有不錯的生育能力。

一雙修長的美腿可以讓女人更性感，挺胸弓背，翹著臀，同時把骨盆向前推，可以讓腿看起來更細長。這是很高的高跟鞋以及有帶子的細高跟鞋很暢銷的原因。

多數男人也喜歡女人有一雙渾圓厚實的腿，不太喜歡瘦瘦結實的腿，因爲肉肉的腿讓女性的腿有別於男性的腿，而且那顯示出分泌乳汁的能力不錯。男人喜歡女人有一雙像運動家的腿，可是如果看起來像是可以爲英國踢世界盃足球賽，那就免了吧。

研究指出，女人裙子的長短，以及鞋跟的高低，會依月經週期而有改變。排卵期時，她會不自覺的挑選較暴露的衣服和較高的鞋子。這對父母來說是個很好的小知識：經期過後十四到十八天中，看好自己的女兒！

特徵五：翹臀纖腰

幾百年來，女人穿束腹，想盡辦法弄細自己的腰，目的就是要有一個像漏斗般的完美身材。爲此當時她們得受胸腔變形、摒住氣息、器官擠壓、流產、肋骨移位等種種痛苦，而受這些苦，爲的就是想要追求讓人無法抗拒的女性特質。十九世紀時，女性要用裙撐來強調臀部，暗示自己已有生育能力。而束腹則是加強臀部的效果，並且能夠縮小腹，昭告大眾，自己沒有懷孕，因此可以接受追求。在十九世紀時，女孩腰圍的理想尺寸，是要剛好符合她的年紀。

> 我決定要讓身材有型一點。我所選擇的型是豐滿圓潤。
>
> ——羅珊⑧

生育能力、健康狀況最佳的女人，她們的腰臀比是七比十，也就是說，她腰的尺寸是她臀部尺寸的百分之七十。翻閱歷史紀錄，就能發現這個比例最能擄獲男人的心。要是變成了八比十，男人就興趣缺缺了。只要和這個比例不一樣，無論是高是低，都不能吸引男

譯註⑧：Roseanne，美國著名電視影集，女主角羅珊體態渾圓。

人的注意力。而比例是一比一的女人很少能吸引男人，因爲子宮和卵巢周圍聚集過多脂肪，顯然生育能力不會太好。在大自然巧妙的安排下，重要的器官周圍不會堆放過量的脂肪，所以像心臟、大腦、睪丸等，就沒有多餘的脂肪。切除子宮的女人，脂肪通常會像男人一樣堆積在小腹部位，因爲她們不再有生育器官。

德州大學的進化心理學專家狄凡德拉・辛教授，曾研究美國小姐選美比賽，以及《花花公子》裸體照片，這兩者的肉體吸引力長達五十多年之久。他發現，完美性感偶像的體重，在這期間平均降了快六公斤左右，但是七比十的腰臀比還是沒有變。他還發現，對男人最具吸引力的比例是六點七比十到八比十之間。

市立醫院裡，一個漂亮的女人躺在病床上被推進麻醉室，準備要動手術。護士離開後，她躺在那裡靜靜的等著，雖然身上蓋著床單，但是無法掩住她那曼妙的身材。一個穿白袍的年輕男人走近她，掀開床單，仔細檢查她那副完美如沙漏般的胴體。接著他又抓來另一個穿白袍的男子。這個男人走過來，把床單掀到一邊，兩眼凝視著她赤裸的胴體。第三個男人過來，他也是一樣。這個美麗的女人越來越不安。

她問：『我很高興你詢問另兩人的意見，可是我的手術到底什麼時候才開始？』

第一個接近她的男人搖搖頭說：『不知道。不過我們很快就能漆好這個房間。』

辛教授找了體重過輕、過重，以及適中的女人進行測試，評分者是幾個男人，他要他們以一百分爲滿分，爲這三種類型的女人打分，看哪一種最能夠吸引他們。體重適中、腰臀比約在七比十上下的女人，對他們最具吸引力。在過重與過輕這兩組中，腰圍越細的，分數越高。這個測試最有意思的一項發現就是，一個女人的腰臀比是七比十時，即使很胖，男人仍會給她很高的分數。對沙漏般身材的喜愛眞的是恆久不變，也因爲如此，在戰爭時，可口可樂公司爲了吸引士兵，才把瓶子改成那種形狀。十九世紀的畫家，奧古斯特・雷諾瓦，以畫豐滿的女性聞名，而且每個看起來都是胖美人候選者，可是仔細觀察一下，會發現畫中人物大部分都是符合關鍵的腰臀比的。

特徵六：渾圓的臀部

男人覺得渾圓的臀部很迷人。女人的臀部儲存了許多脂肪，爲的是哺乳之用，還有就是在饑荒時充當緊急糧倉，有點類似駱駝駝峰的功能。石器時代的雕刻、繪畫中，女性都有個大屁股，臀部特別的肥突，現今南非某些種族仍有這種特徵。古時候，肥突的臀部就是性感的象徵，在希臘甚至還有爲『美臀女神』阿佛洛黛娣所建的神廟。

到了十九世紀時，當時的思想認爲女人不該在公開場合暴露身體任一部位。年輕女子爲了吸引男人注意，便使用裙撐弄大臀部。然而到了二十世紀末，大屁股已不再流行，因爲那表示一個人過度放縱以及身體不好。所以年輕女性開始刻意隱藏自己的屁股，甚至用抽脂的方式來減少屁股的尺寸。穿著設計師的牛仔褲，會讓屁股顯得結實圓翹。穿高跟鞋會讓背部弓起，臀部跟著往上翹，而且走起路來左右輕擺，藉此吸引男人的注意力。據說瑪麗蓮．夢露爲了讓走路的姿態更搖曳生姿，特別把左腳的鞋跟削短了二公分。

特徵十：平坦的小腹

女人的小腹大多比男人圓，而平坦光滑的小腹意味著她們沒有懷孕，歡迎男士追求。因此健身房和瑜伽教室裡，都是做腹部運動的女性，個個都想有個結實完美的小腹。最近肚皮舞又開始流行了，而且變成一種運動，但很少有人知道它的起源。肚皮舞源於波斯後宮，是後宮的女孩爲了取悅主人而跳的。後宮女孩坐在主人身上，藉由一連串激烈的扭動來誘發主人達到高潮。夏威夷的草裙舞也有類似的起源，這些舞蹈現在以『傳統民俗舞蹈』的高雅姿態展現在世人眼前。

特徵十一、十二：弧形背，弧形陰部

柔美的曲線能展現女性的特質，而如幾何般有稜有角的身材，則是男性雄風的象徵。所以全世界的男人都愛曲線完美的女人。女人的上背比男人窄，下背比男人寬，下脊椎的彎度也比男人大。彎曲的背部讓臀部更翹，胸部更挺。隨便叫個女人擺個姿勢，她一定會特別弓起背部的曲線，翹高臀部，然後一隻手或兩手都擺在臀上，藉此佔掉較大的空間，以便更能夠引人注意。如果對這點存疑，隨便找個女人站在你面前，要她擺出她最性感的姿勢。去呀，現在就去試。

特徵十三：修長的脖子

男人的脖子比女人粗、短，結構也比較強韌，爲的是避免在打鬥中或打獵時被折斷。女性細、長、圓錐形的脖子，是性別不同的象徵。男人喜見纖細的脖子上戴著美麗的珠寶，而漫畫家也喜歡用脖子來強化女性的特質。這也是情人『摟脖子親吻』時的部位。

南非和東非的許多部落，像恩德貝勒族、祖魯族、科薩族、馬薩伊族，這些部落的年輕女孩會在脖子上套銀圈，在她們成長爲女人的階段中，會不斷的加進銀圈調整。銀圈把脖子拉長，在他們的文化中，這就是美。銀圈壓迫頭，使鎖骨變形，所以脖子便呈四十五度的彎曲。一旦取下銀圈，脖子無法承受頭的重量，就會應聲折斷。

吸引人的長相

哪種長相會吸引我們的注意，彷彿已內建在我們的大腦中，不受文化影響。女性會讓人喜愛的長相，是巴掌大的臉蛋，小巧纖細的小巴，高高的顴骨，豐潤的嘴唇，以及和臉比例相稱的大眼睛。整體來說，我們喜歡笑容燦爛，氣質柔弱的女性。一般來講，不管哪個民族，喜歡的都是健康，能夠生育的女性。說到長相，公認的『美女』，有一條全球適用的通則——一定要有一張孩子般的臉龐。

有一張娃娃臉的女人最吸引人。

上述的特徵，會激發男人的父愛，刺激他的大腦，讓他產生撫摸、擁抱，以及保護的念頭。在女人則會激發母愛，促使她買柔軟的、『娃娃般』的絨毛玩具。

研究顯示，十二歲到十四歲的女孩，她們的長相最能吸引男人注意。在這階段的女孩，既有年幼柔弱的氣質，也有步入青春期後逐漸成熟的氣息。對女人而言，這會讓她們產生老化的焦慮。有多少女人想用整型手術想留住青春，或想重獲青春。整型醫生爲來整型的女性動手術時，有時會拿嬰兒的臉來做樣板。

特徵二：性感的嘴唇

人類是唯一嘴唇外露而不是內藏的靈長類。動物學家認爲，女人的嘴唇在進化過程中，成爲一面反映生殖器狀態的鏡子，因爲兩者的大小與厚度相仿，而且在興奮的時候，兩者都會充血膨脹。這種現象稱爲『生殖反映』（genital echo），特別能向男性傳達強烈明顯的訊息，是人類剛學會用兩腳走路時演化出來的。口紅是由六千年前史上第一家美容院所發明的，當時是埃及人拿來展現生殖反映用的。口紅永遠只有一種顏色——紅色。這就是男人喜歡他們的女人搽口紅、塗眼影的原因，口紅和眼影都是人爲發出的訊號，目的是讓男人知道，她喜歡他，或是他令她興奮。亮紅色口紅是女人能運用的一種最佳性暗示，而且是性感偶像唯一會選的顏色。

女人的臉是她的畫布，她每天都在上面畫從前的自己。

——畢卡索

女性興奮時，臉上會泛紅，腮紅就是在重現這個效果。粉底會讓皮膚光滑，使外貌無瑕，這是模仿年輕、健康，以及有良好基因的皮膚。幾千來年，一直有女性耳垂長度代表她的銷魂程度的說法，這種聯想還存在於非洲某些國家，以及婆羅洲的卡拉畢族、肯雅族等。現代女性會戴長耳環，也是受此影響。我們的電腦照片測驗顯示，女人的耳環越長，男性認為她們越性感。

女權主義者也許會說，這正是不戴耳環、不化妝的好理由，可是對女性而言，明白這些對男人的影響力是相當重要的，也可以利用這兩點來個浪漫美好的邂逅。同樣的，想要讓別人重視自己的工作表現的女性，眼影不要化太濃，口紅的顏色也要淡一點。眼影太濃，口紅太紅，會誤導男性顧客，並讓女性顧客產生敵對的念頭。

特徵七：迷人的雙眸

幾乎不論在任何國家，美女的必備條件之一就是一雙大眼睛。化妝能夠達到放大眼睛的效果，並且能重現嬰兒的模樣。大眼睛的女性會激起男性想要呵護她的欲望。女人見到一個迷人的男士時，她的瞳孔會放大，加上睫毛膏、眼影、影線這類化妝品的幫忙，會讓人覺得她隨時都對對方有濃厚興趣。隱形眼鏡會讓人產生女人的眼睛會發亮的錯覺，而且還有擴大瞳孔的效果，就如我們在《肢體語言》（Harper Collins出版）中所解釋的，拿一組女人照片給男人看，男人會覺得戴隱形眼鏡的女人有『莫名的』的吸引力。大體上來說，男人較偏愛眼珠顏色較淡且有色彩的女人，像白種男人心目中的第一名就是嬰兒般的藍眼睛。

一九二〇年代起，大量女性加入勞工行列，女性也從那時開始化妝。自此之後，化妝品以及保養品等產業大興，遍及全球，每年獲利高達美金五十萬億以上——而唯一的目的就是在臉上創造出性感的表象。女性名人沒上妝的照片，不定期的出現在女性雜誌的封面上，讓別的女性心裡覺得好過一些。然而悲哀的是，我們變得很不習慣看到不化妝的女性，使得有些女性認爲自己不化妝就很醜，所以用化妝來掩藏自己，而不是把它當成一種能增加自己魅力和神秘性的工具。較能吸引男人的，是化自然淡妝的女性，而不是那些彷彿拿了泥刀抹水泥似的，在臉上塗上一層厚妝的女性。

特徵九：小巧的鼻子

小巧的鼻子也會令人聯想到小孩子，讓男人不由得產生保護的念頭，就像是爲人父母的一樣。漫畫卡通畫家利用這一點，創造出有水汪汪的大眼睛，有小巧鼻子的人物來贏得觀眾的心。

小鹿斑比、芭比娃娃，以及米老鼠的女友米妮，全都有小巧可愛的鼻子。

你絕對看不到大鼻子的女模特兒。整型手術通常是把鼻梁的弧度調整成和臉呈三十五到四十度角，讓它有孩童般的模樣。男演員也開始修整鼻子的線條，以符合二十一世紀男性新形象，成為帶點脂粉氣的男人。

特徵八：長髮

如果一個人從沒剪過頭髮，頭髮可以長到一一〇公分。每根頭髮的壽命是六年，每天會掉八十到一百根頭髮，人類不會換毛，這是和別的動物不一樣的地方。金髮的人大約有十四萬根頭髮，棕黑髮約是十一萬根，而紅髮則約有九萬根。金髮人的內分泌情形，也和其他人不太一樣。金髮女性的雌激素⑨分泌比棕黑髮女性高，而雌激素似乎也讓男人有特別的感覺。他們把它解讀成生育能力較強，因此很容易就被吸引——難道這才是『金髮女子比較風趣』一說之背後眞正原因嗎？金髮較容易讓人聯想到剛出生的嬰兒，因為髮色會隨著年紀而變深，而一般來說，眞正金髮的人，陰毛也是金色的。

眞正的金髮如同一件好襯衫——領口是如何，袖口便是如何。

譯註⑨：oestrogen，又稱動情素。

幾千年來，長髮一直象徵著女性陰柔的特質。雖然在解剖學上，沒有證據可證明男人的頭髮和女人的不同，但自從使徒保羅在一次對哥林多人的演說中宣布說，男人為了榮耀上帝，應該留短髮，女人為了榮耀男人，應該要留長髮後，我們就一直奉行不渝。兩千年後的今天，儘管是個強調男女平等的時代，這個習俗幾乎仍然沒變。流行會發燒、退燒，可是整體來說，還是男人留短髮，女人留長髮。

我們曾進行一項投票，詢問五千一百二十四位英國男性，他們認為長髮女子性感，還是短髮女子性感。結果是可以預料到的：百分之七十四認為長髮女子比較性感、有魅力；短髮女子的得票率只有百分之十二；其他的人則是沒有特別的偏好。在古代，又長又亮的頭髮代表的是擁有健康的身體，同時宣告她有良好的生育潛力。

長髮讓女人顯得風情萬種，魅力十足，而短髮則給人嚴肅的感覺。從這些經驗中，可以學到的事很清楚——女人想要吸引男人注意時，應該留長髮，而在工作上，就要留短髮，或是把頭髮盤起來。

位高權重時，或身處在以男性為主的行業時，外貌性感反而會成為女人的阻礙和負擔。比如說，潘蜜拉．安德森以及安娜．庫妮可娃，雖然可能堪稱世上最受歡迎的兩位性感偶像，但她們絕對不可能當上總統呀！

吸引力和色情的關係

會去看色情照片的，幾乎清一色是男性，網路上百分之九十九的色情網站，都是針對男人設計的，而男性裸體照，大多都是爲了同性戀男子而放的。女人必須了解，男人搜尋網頁，是因爲受到大腦浮現的外觀與曲線所驅使。

男人看到女人的色情圖片時，他絕不會想她會不會煮飯，會不會彈鋼琴或爲世界和平奮鬥。他之所以受到吸引，只是因爲看到了一些外觀與曲線，以及看到了圖片中那些暗示她能夠爲他傳宗接代的表象。他也絕不會去猜想，她的個性好不好。

從前的男人也喜歡女人清涼的養眼圖片或畫作。創作裸女雕像、素描，或油畫的人，幾乎都是男性。

男性喜愛文藝復興時期的藝術作品，

這和這時期的作品多是裸女雕像無關。眞的。

許多女性堅信，那些熱愛古典繪畫大師裸女作品的男性，他們的目的只不過是爲了情色價值罷了。記住，潔西卡．羅傑不過用是筆畫成的，是紙上的線條組合，但是這些線條，卻讓成千上萬個還算聰明的男人口水直流。對男人來說，都是曲線在作祟。

成人色情卡通

綜合上述女性的性感特點，發展出一種卡通，叫成人色情卡通，它源自於日本，已經成為一種很賺錢的行業。它是以卡通或漫畫的形式，呈現性交畫面，而且全都包含我們剛剛討論過的女性肢體語言。

卡通或漫畫中的女性都有一雙水汪汪的大眼睛，而且眼睛大小通常都比嘴巴大了二到三倍，她們鼻子小小的，有一張瓜子臉，而且頭髮很長，通常用彩帶紮成馬尾。

●典型的成人色情卡通，含括了所有會吸引男性的特徵，包括如孩童般的五官、修長的頸子、七比十的腰臀比、成熟豐滿的胸部，和平坦的小腹。腿的長度則被拉長到不可思議的長度，與總身高成為六點三比十。

這類卡通裡的女性角色都有成熟的女性胴體，卻擁有一張十到十二歲的兒童臉龐，並擁有超過三千萬的男性觀眾。

女性的穿著對男性有何影響

討論女性的外表如何對男人產生衝擊的時候，應該先了解穿衣服的歷史。幾百年來，女性穿著的主要目的，就是要強調自己的女性特徵，以便抓住潛在追求者的眼光。

在一九六〇年代，女性運動起步之前，女性的打扮只爲了一個一直以來不曾改變的理由：吸引男人，並打敗其他女人。女權主義教導女人不用再爲了取悅男人而打扮，內在美比她的外表還要重要，這個說法獲得各地成千上萬女性的響應。她們相信自己在男人面前時，終於可以不必再非得光鮮亮麗不可。

龐克風格以及邋遢風格，是對『爲了吸引男性注意而打扮』的一種反動，同時是向世界宣告，現在男女可以藉由外表打扮，而達到平等的關係。

這股反對吸引男性注意的打扮風潮，一路發展到一九九〇年代，連時尚模特兒的身材都開始變得很不像女性，而且變得非常瘦削，她們塗的是黑色的唇膏，甚至在眼睛下方塗抹黑暈，一副吸了毒的模樣，這種模樣可很難吸引男人了。異性戀男人很少會看時裝秀，不過每當有環球小姐選美比賽時，觀看的男性中，有百分之七十的人會想看的是女性展現她們固有的特色。

時裝秀裡，許多男人眞正感興趣的只有泳裝走台。

現代女性有兩種基本裝扮：上班裝扮和非上班裝扮。上班服裝能讓她在職場上與男人及其他女人站在同等的立足點上；另外，藉由穿著展現出來的成功、權勢、分量及魅力，能幫助她擊敗其他女人。

上班裝扮的成功關鍵其實很簡單，妳期望影響的那個人，會希望看到妳怎麼打扮？妳的彩妝、身上的首飾，髮型以及服裝，要怎樣才會讓他們覺得妳是個可靠、值得信賴的合作夥伴？如果妳的工作，常常需要向男人展現妳的技術專業或管理專業的話，那麼我們先前討論的那些魅力表徵多半就不適合了。反之，如果妳從事的工作屬於柔性訴求，例如美髮業、化妝品或流行服飾業，那麼我們之前討論過的就可幫上大忙。

整型手術(Cosmetic Surgery)

現今有越來越多的人選擇整型再造（再造比手術好聽多了）的方式來改善他們的外表。每年光是在美國就有超過一百萬人次去挨刀，之所以選擇這個方式主要都是爲了加強先前我們提過的種種特質，來增加自信心和個人形象，尋此一途的大多是名流人物。

麥克道格拉斯動過眼睛緊實手術，潘密拉安德森動過豐胸手術，而麥可傑克森和雪兒幾乎能做的都做了，所以兩個人都變得『見光死』，總是躲陽光和熱輻射線躲得遠遠的！有可能全世界最性感的女人正在阿富汗某處，全身包裹罩袍下，但我們永遠無法證實，因爲根據所見所聞，所謂的性感，必定牽涉到名設計師的服飾，營養師，化妝師，塑身教練，舞蹈老師，聰明的攝影師以及美容手術。

整型再造並不是現代才有的，在抽脂以及豐胸手術出現的好幾世紀以前，小腿太瘦的男人就已經會在襪子裡墊東西，有專爲不夠瘦的女性設計的十六吋鐵製束腹，還有讓女人的臀部看起來較寬的裙撐。就連英王亨利八世也穿遮陰袋——字面的意義爲『裝陰囊的袋子』——以補強他那既小又飽受梅毒之苦的男性象徵。他穿著遮陰袋，是爲了與同樣穿著遮陰袋的法國皇室互相較勁，但他的遮陰袋上還鑲有珠寶及徽章等裝飾。

在普通的一週裡，一個普通人從雜誌、報紙、廣告板及電視上，平均會看到五百個以上所謂『完美』的人類。而這些完美的形象，大部分都是高科技的產物，利如噴霧處理、高超的化妝技巧、電腦修飾，以及燈光特效，絕少數是所謂的天生麗質。

如果你有擠粉刺留下來的疤、胎記，或是你不喜歡的特徵，你可以考慮做一做美容整型，動過這類手術的人，多半都對結果很滿意。

不要閱讀女性雜誌，它們只會讓妳覺得自己很醜。

在日本最常動的整型手術就是小眼擴大術，好讓自己的眼睛看起來像白種人。日本人有三層眼皮，白種人只有兩層，手術就是去掉第三層眼皮好讓眼睛變得更大。

有一點很重要大家必須要了解，整型並不會使你變成一個更好、更被疼愛的人，也不能解決你人生的問題，同樣的道理，任何以外表來評斷一個人的人，本身就有人格上的問題，而且也不會是你想要認識交往的朋友。

吸引力的另外一面

《爲什麼男人不聽、女人不看地圖？》記錄了一萬五千名男女，對心目中另一半的期望。內容如下：

男人的期望

A對於第一印象的女人	B對於長久相處的另一半
1. 貌美	1. 個性好
2. 身材好	2. 貌美
3. 胸部	3. 有頭腦
4. 臀部	4. 幽默

A項的內容，我們早就知道了：男人是視覺動物，喜歡看美女。大多數的女人都了解這一點，而且科學研究也一再的證實它，雖然這樣的觀點可能並不『政治正確』。許多女性主義者極厭惡以外表身材來評斷女人，並認爲男人眞是膚淺。但是這仍然無法改變男人初次看見女人時壓倒性的視覺反應。A項所列的項目的確都是視覺感官，如果想要一夜情

的話，這些絕對都是關鍵。B項就不一樣了，男人對於長久相處的另一半的期望，就只有『貌美』這一個視覺項目。

性吸引力百分之五十來自於你本身的條件，另外百分之五十來自於別人對於你的幻想。

——莎莎嘉寶，美國女演員

這項調查顯示出兩件事，第一，男人對於第一次見面的女性都著重在視覺印象，而女性的整體表現比她是否有好身材來得重要，也就是說女性的衣著、彩妝、整體表現及打扮，比身上是否多了幾公斤肥肉、是否長痘痘或胸部太小等重要得多。第二，以長久關係的伴侶來說，男人對於女人的個性、智慧以及幽默感比對身材感興趣，不過『美貌』仍高居榜上。好消息是妳的外表絕大多數掌握在自己手裡，而且妳可以做許多適合的改變。

身爲女人，有幽默感並不是指妳會說笑話，而是指他講笑話的時候妳會笑。

因爲視覺訊息對男人很重要，他會不知不覺以女性的外表打扮，來判斷她對他的尊重和感覺多寡，他認爲如果女人花心思打扮，就表示她希望能夠吸引他。離婚訴訟中最常提出的原因之一，就是他們的太太婚後放縱自己的外表到無可救藥的地步，他們認爲她用外表吸引他們，而結婚後就再也沒有這個必要，大多數的男人因女人只爲工作同事打扮而幻滅。而女人卻覺得這一點很難理解，因爲無論他變得如何她都會一直愛著他。

解決辦法

妳的外表直接影響著別人對妳的反應及態度。它同時也影響著妳的個人形象及行爲舉止。妳可能曾經聽奶奶說過：『不應該光憑封面來判斷一本書。』但是事實上，人們的確如此。妳的外表完全掌握在自己的手上，許多學院都有開設打扮和禮儀方面的課程，教妳如何走路、說話、坐、穿衣和化妝等，書店裡也有很多書籍教大家相同的內容，大型百貨公司通常都有提供免費的化妝服務以教導客人選擇適合自己的彩妝，服裝店也很樂於告訴妳如何選擇及搭配衣服，一個好的美髮師能建議妳適合什麼髮型，牙醫師可以幫妳矯正牙齒，內衣派對可以讓妳知道如何展現自己曼妙的身材。

妳的重量也完全在自己的掌控之下，找營養師教妳正確的飲食習慣，參加健身俱樂部以達到妳想要的身材，如果妳覺得有必要的話，去隆鼻或隆胸，就當做是送自己的生日禮物。二十一世紀的今日，已經沒有什麼可以阻礙妳變成心目中完美的形象。

『當我人老珠黃時，你還會愛我嗎？』她問。

『不只愛妳，』他說：『我還會常常寫信給妳。』

我們並不是主張女性都應該像許多女人那樣，非常在意自己的外表，但是確實應該爲自己的外在多做一點努力，並設法把自己的優點發揮到極致。如赫蓮娜・魯賓斯坦所說的，沒有醜女人，只有懶女人。

沒有醜女人，只有懶女人。

——赫蓮娜・魯賓斯坦，美妝品牌創辦人

最重要的是，妳可以藉由學習新技巧，和拓展自己的生活常識，使自己變得更有吸引力。人都會被談話內容廣泛且有趣的人所吸引。

看看現今全世界前四十名最受歡迎的流行歌曲，你可以發現無論是最受歡迎或者是最暢銷的歌曲，通常都不是最好的音樂家所唱或所寫的，這些作品都是來自於了解顧客需求的作曲者，依著已被證實的公式塡詞譜曲，產品一問世後就跟著大賣，而世界上最好的音樂家仍然默默無聞的坐在家中等著被發掘。想要受歡迎以及具有吸引力也是同樣的道理。

男人也許會爲波霸而瘋狂，女人也許會因二頭肌而尖叫不已，但是，根據研究顯示，長久的感情最終還是要回歸到心，主要關鍵在於對兩性、對情緒及對專業的自信所散發出來的內在光芒。換句話說，讓自己成爲一個有意思的人，別人就不會注意到你身體上的缺點。

結論

在一段關係中，女人的外表既可能吸引男人，也隨時可能令他生厭，這是一種無法改變的事實。許多女人對此感到非常憤怒。一個男人如果滿頭灰髮或滿臉皺紋，別人會說他是德高望重，如果是女人就只會說她老了而已，她們認爲這相當不公平，然而現實的人生就是如此。

有時候天氣就是很糟，既打雷又下雨，但是妳完全沒有理由因此生氣、說它不公平，或爲此氣急敗壞。天氣就是天氣，不管妳怎麼想，它都不會改變。如果妳接受了，妳反而會去準備雨傘、雨衣、帽子、手套或防曬油。如此一來，妳就可以走出戶外，享受當時的天氣，並且玩得很開心。留在家裡抱怨一些妳根本無法改變的事情，根本就沒有意義。對於男人的想法也是一樣。所以不要跟他們抗爭，應該要想辦法和他們應對。

對自己的外表如果有任何不喜歡的地方，那麼就改變它。

chapter 10

男人對異性的吸引力測驗

你是女人眼中的萬人迷，
還是懶鬼？

做個測驗

在女人的心目中你是一個怎麼樣的男人？

女人對你愛不釋手，還是避你不及？是可靠，還是可惡？

現在來做一做這個測驗，你就會知道自己在女人心中究竟是怎樣的人。

下一章裡你也可以一窺女人對男人究竟有何期許。

這個測驗能評估你每次和女性朋友見面時的外在和內在層面，也會讓你知道你表現得如何。

你做完測驗後，不妨也請幾位女性朋友幫你做這個測驗，然後比較兩者結果不同之處。

請開始認真答題吧。

一、你報名電視『盲目約會』節目，女方要求描述身材，答案是？
1、倒三角形
2、直筒形
3、圓筒形

二、我認為身為男人應該：
1、百分之百響應一夫一妻制
2、要忠誠，但是偶爾放縱有助於長久關係
3、不需給承諾，對未來仍採開放的態度

三、如果請女人來描述你的臀部，她們會說：
1、寬大
2、小巧緊實
3、瘦或扁

四、你有多少頭髮？
1、大約一半（可能原因：髮線倒退）
2、跟以前一樣多
3、禿頭或剃光頭

五、你請幾位女性描述一下你的嘴巴，她們的答案是：
1、笑口常開
2、嘴唇緊閉或嘴角下彎
3、親切／溫柔

六、你的幽默感如何？
1、我完全沒有幽默感
2、我總能帶動聚會的氣氛
3、我還需要加強

七、女人會如何描述你的眼睛？
1、深邃／很酷
2、嬉戲／淘氣的
3、親切／溫柔

八、看著鏡子，描述你的下巴和鼻子：
1、大小適中，和臉型還滿配的
2、鼻子高挺，下巴突出
3、鼻子和下巴偏小

九、你的兩條腿是：
1、有肌肉／瘦骨嶙峋
2、修長／瘦長
3、圓圓粗粗的

十、你的收入是：
1、在平均值之下，但是我比較不喜歡全職工作
2、在我這個年紀和經驗應有的水平
3、凌駕平均值許多

十一、測量一下你的腰、臀比例。
測量你的腰圍，並把它除以你的臀圍再乘以 100 。例如你的腰圍是 36 吋，臀圍是 42 吋，那麼計算的結果就是 85.7% 。
你的是在：
1、100% 或以上
2、85% 至 95%
3、低於 85%

十二、當女人用手環住你的肚子時，她的感覺是：
1、好像水桶或米其林輪胎人
2、有六塊肌
3、很平坦

十三、小弟弟的尺寸真的很重要嗎？你認為女人對那話兒的尺寸看法是：
1、不重要
2、重要
3、非常重要

十四、別人邀請你參加一個舞會，你聽說會有很多女性出席而且想讓她們留下深刻的印象，你會如何打扮？
1、剪裁合身的長褲和襯衫，配上一雙光亮的鞋
2、運動服和球鞋
3、牛仔褲加襯衫，外加一雙休閒鞋

十五、女性朋友覺得沮喪、難過或焦慮時：
1、我很少注意到
2、我立刻能感覺出來
3、如果我能跟她聊一下，我可能會發覺

十六、通常我的臉都：
1、蓄著一臉大鬍子
2、鬍子刮得很乾淨
3、蓄著三天的鬍碴

十七、你的知識領域有多廣？
1、我對很多人、很多地方和很多事物都很了解
2、對許多主題有相當程度的了解
3、我在自己的領域是個專家

你的分數

問題一
1、7分
2、5分
3、3分

問題二
1、9分
2、1分
3、0分

問題三
1、3分
2、7分
3、5分

問題四
1、3分
2、5分
3、4分

問題五
1、3分
2、1分
3、5分

問題六
1、1分
2、9分
3、4分

問題七
1、1分
2、4分
3、5分

問題八
1、3分
2、1分
3、5分

問題九
1、5分
2、3分
3、1分

問題十
1、3分
2、5分
3、9分

問題十一
1、3分
2、7分
3、5分

問題十二
1、1分
2、5分
3、4分

問題十三
1、5分
2、3分
3、1分

問題十四
1、5分
2、1分
3、3分

問題十五
1、1分
2、9分
3、7分

問題十六
1、3分
2、4分
3、5分

問題十七
1、9分
2、7分
3、3分

請計算一下總分，再看看下頁有關魅力指數的說明。

九十分或以上者

女性殺手

哇！你可以稱得上是一位女性殺手，你對女人釋放的訊號都是正確的，而且你知道怎樣強調自己的優點來吸引她們。但是注意不要讓你的外表太過完美，因爲女性們會認爲你太做作，或者太自我迷戀，這對所有的女人來說可是一項大忌，她們不喜歡男人太過自負，沒有一個女人喜歡和她的另一半攬鏡比美。

四十七到八十九分

普通男人

大部分男人都落在這一區。對於追求女人，你的表現算是中等。如果你的分數越接近八十九分，就表示你需要改進的地方越少，只要檢視分數較低的項目，並在下一章裡找出改進的方法即可。如果你的分數較接近四十七分，那麼你需要下功夫改進的地方就多了，下一章裡將會告訴你該怎麼做。

四十六分以下

野性男人

你只要在大街小巷裡溜達閒晃就很快樂了，而且對你來說，那些喜歡女人勝過啤酒的男人八成都是同性戀。在你眼中，哥兒們比女人重要。

但如果你眞心希望能吸引女性，你就眞的需要一臂之力囉！

女人喜歡好脾氣的男人、能逗她們笑的男人，能察覺她們的需要、有野心也有足夠的智慧，以讓人生更美好的男人，値得慶幸的是，這種種都還學得來。你不妨想一想，如果身邊的女人都開始對你刮目相看，感覺會有多棒呀！

chapter 11

男人的性魅力

什麼會啟動女人的性趣？

你確定女人喜歡的是你，還是你的財富？……

本章所談論的，是男人有哪些特點會引起女人的性趣，你會赫然發現，比起先前談論女人誘人特點的那一章，這章的篇幅只有那章的一半。這是因爲，如我們先前所說的，女人身上到處都隱藏著性暗示的表徵，好告訴男人自己是個健康而且可以爲他傳宗接代的人。女人散發吸引力是一個精密且複雜的過程，而男人就比較單純而直接了。

自盤古開天地以來，女人總是被健康強壯的男人所吸引，因爲他們有能力提供食物並保護她和她的小孩。這樣的情況到現在還是差不多。只不過現今二十一世紀的女性的要求比她們的祖先更多了，她們要一個能滿足她情緒需求的男人。因此她們的大腦衍生出兩種完全相反的需要：鋼強和柔軟。剛強指的是她們所選擇的男人必需具備最優良的基因好傳給她的下一代，讓她的小孩擁有更強的生存競爭能力。因此，她會尋找像約翰韋恩、羅素克洛或是布魯斯威利那一類的硬漢。這類男人通常都有一種特色，就是身材對稱，而且左右四肢等長。這跟男人看女人的觀點非常不同。男人比較著重臉部的對稱，而非身體的對稱。然而兩性都把左右對稱，視爲年輕和健康的指標，就如同對稱的花，因爲花蜜較多，總能吸引較多的蜜蜂，而身體對稱的動物，壽命多半也比不對稱的動物來得長。

對女人來說，男人的身材是否對稱比他們的臉是否對稱重要得多，這就是爲什麼拳擊冠軍身旁總不乏美女圍繞。

很多動物和昆蟲也都一樣。以蠍蛉爲例，母蠍蛉多半只願意跟翅膀對稱的公蠍蛉交配，因爲牠們對於困難及挫折的韌性較強。而牠們基因裡的這種韌性，可以爲她的小蠍蛉打下好的基礎。因此對於蠍蛉來說，對稱是身體健康的指標，這跟女性選擇身材對稱的男人有異曲同工之妙。然而在人類的世界尚不僅如此，身材對稱或剛強的猛男，對於女性的吸引力，也會因女性每月的生理週期而有所改變。

根據蘇格蘭的一份調查，

男人吸引女人的條件會因女人處於生理週期的不同階段而不同。

如果她現在正處於排卵期，她喜歡的是不修邊幅、渾身肌肉的男人；

如果處於生理期，那麼臉上沒有一點鬍碴、頭髮梳剪整齊的男人最受青睞。

當女性受孕機率最高時（也就是女人每月生理期的中段），女性很可能選擇身材比較對稱的男人來短暫交往一下。換句話說，她很有可能每個月與羅素克洛發生一次一夜情。

然而，以長期交往的對象來說，女人則傾向於選擇願意投入這份關係且願意撫養小孩的男人，至於身材是否對稱就不是那麼重要了。但是如果只探討外表的吸引力（這正是我們現在正在做的），身材對稱確實對女人的整體選擇條件有很大的影響。在英國，DNA證據顯示，有百分之十的婚姻中誕生的小孩，並非丈夫的親生骨肉。似乎妻子之所以選擇這個丈夫，是因爲他的養育能力，至於好的基因，就從他處獲得囉！

科學研究的結果

美國的一份研究指出，外表具吸引力的男人，其薪水比一般同事高出百分之十二至十四⑩。較令人擔心的是，外表具吸引力的人在法庭上，通常會受到較禮遇的對待，例如刑期判得較短或罰金較少⑪。賓州有一個以吸引力爲主題的研究，針對七十四名被告，在他們受審前做了一項調查。發現比起較平庸的被告，較有魅力的被告不但獲得較輕的刑責，而且被判入獄的機會也比平庸被告低一半，這也解釋了爲什麼最高明的男騙子幾乎都是極具魅力的人。

一個針對過失傷害賠償的研究發現，當被告比受害者較具吸引力時，受害者獲得的賠償平均是五千六百二十三美元，反之，如果受害者比被告具吸引力，則平均所獲得的賠償是一萬零五十一美元⑫。如果法庭上每個人都蒙上眼睛無法看到被告的話，證據顯示審判結果有可能大大不同。

這聽起來可能令人很沮喪，但是往好處想，至少大家會開始注意改善自己的外表，而且可以經過理智思考後，下定決心增加自己對別人的吸引力。就男人而言，身體外觀的某些特點可以在視覺上觸動女人的性反應。依序列出如下：

引發女人性趣的特徵

一、運動員的體格

男人吸引女人的特徵首推體格健壯、倒三角型的身材。強壯及運動型的體格，意味著這個男人身體健康，而且能夠成功地找到食物並打倒敵人。儘管在現今這個倡導兩性平等的時代，突出的二頭肌和寬闊的胸膛已經沒有什麼實際效用，但是卻仍能在女人尋覓理想伴侶時，刺激她們的腦部。倒三角的體型對於女性也非常有吸引力，因爲那正是女人所沒有的，她們的體型屬於正三角型。凡是在女人身上屬於曲線玲瓏或柔軟的地方，男人的就是有稜有角或扎實的地方，而最大的吸引力，也正是在於這些差異。

特徵二：寬闊的肩膀、胸膛及有肌肉的雙臂

出外打獵的男人，他們的上半身都是寬闊的，然後往狹窄的臀部逐漸縮小，而女人剛

作者註⑩：見 Hammermesh and Biddle。

作者註⑪：見 Castelloe, Wuensch and Moore, 1991 and Downs and Lyons, 1990。

作者註⑫：見 Kulka and Kessler, 1978。

好相反，她們的肩膀通常較窄，臀部較寬。男人演化出這些特徵，是爲了長距離扛著笨重的武器並且把獵物拖回家。

寬闊的肩膀是男子氣概的象徵，很多女性常常藉由模仿這一點來突顯自己。她們會再把手扠在腰間，好讓肩膀看起更寬闊，並占用更大的空間。商場上的女性如果放墊肩在衣服裡，會顯得更具說服力——就好像男人戴著授予的肩章一樣神氣。男人的肺進化的越來越大好讓他們能迅速的獲得氧氣，在奔跑和追趕獵物時能更有效率的呼吸。他的胸膛越寬厚，就愈多人尊敬他，他的力量也越大。在現代，男人如果有所成就時，他們仍會『抬頭挺胸』，即使是青少年小夥子，也都認爲健壯的上半身就是男子氣概的象徵。

男人的前臂比女人長，讓他們較擅長瞄準和投擲，他們也因此較有本事提供食物。而多毛的腋窩也是一項非常強烈的男性特徵。腋毛是用來留住汗腺所分泌的味道，這個味道包含帶有麝香味的費洛蒙，能在性慾上刺激女性的大腦。胸毛及陰毛也有同樣的功能。

上半身體格不錯的男人肯定能吸引女性，但是不包括『肌肉男』那樣的健美先生，因爲她們認爲這一類的男人只對自己的美感有興趣，而不是對她的美感有興趣。均勻健康的體格能啓動女人的熱情，但是像阿諾史瓦辛格那一類型的人則使她們性趣缺缺。

男人的胸部其實跟女人一樣也有哺乳的構造——即乳頭和乳腺。那是因爲人類板模是以女性的架構爲根基，所以即使是男寶寶身上仍然有乳頭和乳腺。男性的乳頭呈現的吸引力並不高，但是在性愛一事中仍有它的戲份。上千份文獻紀錄指出，男人的胸部在極度匱乏的情境下也能分泌乳汁，例如第二次世界大戰的集中營裡發生饑荒時。由於男性身上仍具備此一女性構造，每五十個被診斷罹患乳癌的人中就有一人是男性，而且死亡的速度比女性快上許多。你很少聽說這樣的事情，因爲被診斷罹患乳癌的男人，通常會因得了這種典型的女性疾病而覺得尷尬，不願多談。

特徵三：小而緊實的臀部

公猩猩沒有突出呈半球狀的臀部，人類才有。我們學習用兩隻腳走路的時候，臀部的肌肉大幅成長，好讓我們能筆直的站立。臀部一直是許多笑話嘲弄的對象，也是身體兼具爆笑和輕蔑的部分，全世界的影印機發生的故障中，有百分之二十三是因爲人們坐在上面影印自己的屁股所造成的。所以，爲什麼許多女人對男人的臀部感興趣？爲什麼當男人走過自己身旁時，心中有股衝動想在他的小屁屁上拍一下？爲什麼喜歡看男人赤裸的背影？全世界的女人都喜歡小而緊實的臀部，但是很少有人了解它的超強吸引力何來。

奧秘就在於，緊實有肌肉的臀部，是性愛過程中，能夠猛力向前推進動作的必要條件。一個只有肥胖或軟塌臀部的男人，這種向前推進的動作對他來說是困難的，而且他很可能將全身的重量都放進這個動作裡，對女人來說這可不理想，因爲男人的重量會讓她覺得很不舒服，而且會有呼吸困難的問題。相反地，一個擁有小而緊實臀部的男人，更有可能圓滿達成他的任務。

小而緊實的臀部，能讓受孕機率增高。

用手拍打赤裸的臀部，長久以來一直爲虐待狂和被虐待狂喜愛，很多男人和女人也發現這樣的動作能引發性趣。臀部漸漸變紅就像女人被逐漸喚起的慾望，透過如此強烈的刺激，臀部許多末梢神經也不斷傳送訊息刺激生殖器。換句話說，當女人拍打男人臀部的時候，她正在鼓勵他勃起。

特徵四：濃密的頭髮

有史以來，頭髮一直被認爲是男性權力的象徵。中世紀時期，頭髮甚至被認爲具有魔力，他們會剪下一綹頭髮存放在心上人的小盒子裡或用於宗教儀式中。對於和尚來說，削去頭髮被視爲是在天神面前表現謙卑的方式。《聖經》裡參孫的頭髮一被剪掉，就失去了所有的力量。濃密的頭髮總是男性力量和權力的象徵，同時也就蘊涵了吸引力。

大約有百分之五十的女性，把濃密的頭髮視爲一個很重要的條件。但是也有一半的女性認爲並不很重要，因爲她們認爲禿頭或剃光頭也是很具魅力的。

雄性禿是會遺傳的，並且是男性荷爾蒙過度分泌的結果。過量的荷爾蒙氾濫了整個系統，並且將身上的，特別是頭頂的毛囊給阻塞了。因爲荷爾蒙分泌量很大，所以禿頭的男人通常比他們多髮的哥兒們更強勢且好色，因此禿頭成了超級男性的象徵。這種藉由禿頭所傳達的男性特徵，突顯出男女之間的不同，而且對許多女性反而更具吸引力。

對某些人來說，那只是顆禿頭。

但對某些人來說，那可是個性愛機器的太陽能電板。

我們拿了許多男人的照片，並以電腦修改，使其呈現不同程度的禿頭，然後做了一個實驗。我們把這些照片拿給受訪者看，請他們憑第一印象猜測每個男人在商場上的位階。結果發現頭越禿的男人，受訪者就越覺得他們位高權重，他們執行自己的權力時，所遭遇的阻力也越少；反觀頭髮濃密的男人，比較起來他們普遍被受訪者認爲是權力較小且薪水也較少。由此可見，禿頭即是睪丸素分泌量充足的象徵。許多男人因爲自己的禿頭或快變成禿頭而焦慮，並且因爲缺乏有效的補救措施而感到挫折，現今唯一確定能避免禿頭的方法，就是在青春期前去勢，當然我們並不推薦這個方法。其實他們應該了解到，禿頭可以換來更大的權力及更強的性能力。

在爲我們的暢銷書《粗魯及政治不正確笑話集》蒐集資料的期間，我們發現只有男人會講有關禿頭的笑話；很少會聽到女人講這一類的笑話。部分原因是因爲女人能體諒有些男人會因爲自己禿頭而感到不自在，同時也因爲禿頭是另一種男子氣概的象徵，所以很多女人其實並不認爲那是一項該拿來開玩笑的弱點。相反地，她們還因此被點燃了心中的慾火，而且還會親吻或撫摸男人那顆光溜溜的腦袋。

特徵五及六：性感的雙唇&溫柔的眼睛

男人形容女人的雙唇和眼睛時，用的詞多如水汪汪、性感、可口、誘人、秀色可餐、火辣等等。然而，當女人想形容男人擁有一雙性感的雙唇或溫柔的雙眼時，她們的用詞大都像照顧、體貼、細心、保護及深情等字眼。但一般來說，這些字眼並不常被用來描述外觀上的特徵。女人用這些字眼來敘述她們從男人身上感受到的『態度』。這又是一項能證明男女大不同的證據：男人看的是實際外表的特色，而女人則更進一步看到其背後的情緒。

說到眼睛，女人的眼白通常都比男人大，因爲女人的大腦原本被設定的功能，就是要與他人作近距離溝通。眼白有助於面對面的溝通，因爲它有助於讓別人看出眼光飄向何方，並能藉以判別此人的態度。很多動物的眼白都很小甚至沒有，因爲牠們只專注在一件事物上，而不會注意到距離較遠的其他動物。此外，女人喜歡顏色較深的眼珠，因爲眼珠色若淺，會讓男人看起來比較像小孩子。

特徵七：高挺的鼻子和強有力的下巴

戰鬥和打獵時爲了免於受傷，男人的鼻子、下巴和額頭因而進化得更堅毅強壯以保護自己，也因此成了男子氣概的象徵。睪丸素分泌較多的男人，他的下巴比分泌較少的男人剛毅且突出，而突出的下巴讓人有一種反抗的意味。山羊鬍有加大下巴尺寸的視覺效果，讓男人看起來無所畏懼。不幸的是，據說山羊鬍源自於撒旦，男人蓄山羊鬍在商場上很難被接受或得到信任。下巴往內縮代表心裡感到恐懼，通常是優柔寡斷人才有的動作，因此不怎麼受女性歡迎。

自羅馬時期以來，人們總認爲男人的鼻子和陽具尺寸大小成正比，可是——小木偶可能會感到很遺憾——並沒有任何一項研究可以證明這個理論。兩者只有一個共同點，就是它們都向前突出。倒是有研究顯示，男人的鼻子會因興奮而充血擴張，溫度也會隨著性事越激烈而升高，就跟他的寶貝一樣。

特徵八：狹窄的臀部和有肌肉的雙腿

男人強壯有線條的雙腿，在所有的靈長類裡算是最長的，而狹窄的臀部讓他們得以長途奔跑追趕打獵。女人的寬臀常導致許多女性在奔跑時，因爲腿和腳往外偏，而不容易取得身體的平衡。美國神經心理學權威狄凡德拉．辛博士發現，女人認爲，腰臀比爲九比十的男人最有吸引力，即使是女同性戀者也喜歡有此種比例的『男』伴。男人的腿對女人很有吸引力，但其實是因爲腿是男性力量和耐力的象徵。

特徵九：平坦的腹部

在古代食物匱乏的時期，肥胖突出的大肚腩代表那個人很富貴，有享用不盡的美食。然而在食物充足的現代，突出的大肚腩只意味著自我放縱和漠視健康。腹肌分明的紋路，從來就不是男性軀體的重要條件。那只是健身俱樂部和體育館裡的設備製造商，用來說服顧客鍛鍊腹部六塊肌的噱頭。大力士和太空超人這樣的人物可能是唯一真的有六塊肌的英雄，像超人和蝙蝠俠就沒有。他們的腹部當然不是啤酒肚，但也絕不會長得像洗衣板一樣。事實上，許多歷史上的英雄人物看起來活像是唐奇甜甜圈（Dunkin' Donuts）的廣告人物。

特徵十：雄偉的陽具

在所有靈長類動物中，就屬人類的陰莖最大。幾千年來，男性陰莖的長度一直關係著權力的象徵以及他是否是個高超的愛人，但是事實上眞正的力量其實是來自於內心而非具體的器官。

除了你可以輕易在網路上看到的用數位方式加大的情趣用品外，根據正式記載最長的陰莖紀錄是十四吋，而且陰莖的尺寸和男人的體型、鼻子大小及鞋子的大小無關。男性勃起時平均是五點五吋，大部分女人的陰道是三點五吋深，前面兩吋是最敏感的的地方，前端剛好是G點一帶。由此推理，一個勃起時只有三吋的男人，因爲G點，反而比七吋長的男人更能夠提供正確的服務。如果女人因爲看到較雄偉的陽具而感到興奮，那是因爲她看到的長陰莖所意味的男性魅力，而非因爲長度所能給予的生理滿足。兩人感情良好的女性絕少會在意陰莖的大小，但是，若曾經歷痛苦的分手，她們可能以批評前男友的那話兒太小做爲報復的手段。

有個年輕人知道自己的老二太小，所以一直不敢將他的初夜獻給女朋友，終於他知道自己這樣逃避也不是辦法，便很緊張地邀請女朋友到他住的地方。

他猶豫不決地，開始脫掉自己的衣服，然後把燈光調到最暗，小心翼翼地褪去她的衣裳開始親吻愛撫她，最後很緊張地終於把他已勃起的寶貝放在女朋友的手裡，希望她不會注意到它的尺寸。

『不，謝了，』她說：『我不抽菸。』

演化並沒有讓女人的性慾因看到男人的生殖器而被激起，這點倒是跟男人完全相反。男人的色情書刊裡面的照片都是女人張著大腿，或坐或躺，正面或背面都一覽無遺的照片，可是他們想要把男人的色情照片賣給女人卻都失敗，唯一例外的只有喜歡男人的男同志。

男人看到全身赤裸的女人時會一臉驚呆樣，

而女人看到全身赤裸的男人通常卻會大笑起來。

男人陰莖尺寸在吸引女人特徵的排行榜上，還能排在第十名，似乎是因爲，其自古以來就是男性權力的象徵，這個器官的尺寸越大，他獲得其他男人的尊敬就越多。在新幾內亞，男人們公開展示他們戴著護套的陰莖，這個護套約一公尺長，有線繫著藉以支撐。而西方男人穿著速多牌（Speedo）泳褲時的意境也跟新幾內亞人差不多。

女人趕時髦的服裝再怎麼不得體，也比不上男人的多。

特徵十一：蓄了三天的鬍碴

靈長類動物中，臉上毛髮長度可以超過身體其他部位的，就只有人類中的男性。猴子和黑猩猩身上的毛全都一般長，從來沒看過大猩猩會長鬍子的，泰山電影裡的黑猩猩奇塔也從來沒長過翹八字鬍。男性荷爾蒙促使臉上的毛髮生長，睪丸素分泌越多毛髮長得越快，因此，蓄了三天的鬍碴就成了視覺上強烈的男性魅力表徵，對於那些看起來較孩子氣的男人尤其有用；例如，很多女人都同意湯姆克魯斯下巴蓄著鬍子要比刮得光溜溜時性感多了。壓力或生病會抑制睪丸素的分泌，這也是生病或壓力大的男人不需要經常刮鬍子的原因。而那些早上才刮過鬍子中午就又長出鬍碴的男人反而給人一種愛表現的印象。

女人對於長期伴侶的條件

女人最在意男人的：

1. 個性
2. 幽默
3. 細心
4. 才智
5. 好體格

男人有兩張清單：第一印象的清單，以及尋找長期伴侶的清單，但是女人從頭到尾就只有一張清單。女人希望男人懂得體貼她、有才智、有幽默感、忠貞不二而且善解人意，但這通常與男人的外在背道而馳。如果這個男人也具備外在美，她會視爲是額外的禮物，除了每個月羅素克洛高居她的排行榜那一、兩天之外，外在對女人來說是最不重要的因素。女人衡量男人的愛方式與男人不同，她們不會以對方的外貌和打扮來判定男人對自己的感覺，她們是以男人對待自己的方式來判別，男人如果穿衣服的品味太差或者開始長起大肚腩，雖然不喜歡，但是這通常不是影響整個大局的主要原因。這個兩性之間的基本差異常常造成雙方的困惑以及誤解，因此，女人要了解妳的外表對男人來說是非常重要的，而且重要到可以嚴重地影響兩人之間的關係；而男人要學習的是，女人衡量兩人之間的關係該深或淺完全在於你是否用心對待。

女人想要的是溫柔、無微不至、善解人意、可以溝通，同時又強壯、能吃苦耐勞、有男子氣概的男人。但是她總是得不到這樣的男人，因爲他已經有男朋友了。

民意測驗及調查一再顯示，女人外在的吸引力對男人很重要，尤其是在雙方初次見面時，因爲男人在一開始的十秒內就會形成第一印象。然而，對於長期以及固定伴侶的選擇，男人又有不同的標準。女人喜歡她們的男人有魅力，但是男人的身材和外表對他們的事業和社會地位並非必要條件，只算是額外加分。不然你怎麼解釋傑哈迪巴狄厄⑬的成功？女人自始至終選擇伴侶的條件都是一致的。一個男人如果可以逗女人笑、了解女人的需求、可以聊一籮筐的話題、對於自己的人生設定努力的目標、是異性戀者，就會有約不完的會等著他。

解決辦法

要變成更具魅力的男人，首先你必須加強你的溝通能力和社交能力。各地的大專院校和商業課程都有教你如何成為一個有效的溝通者、如何交朋友、影響別人以及如何培養幽默感的課程。從前面的清單已經能看得很清楚，女人喜歡會逗她笑的男人。去買一些書籍多了解女人的想法以及感受。我們推薦我們的《爲什麼男人不聽、女人不看地圖？》以及芭芭拉・安吉麗思（Barbara De Angelis）的《男人都該知道的女人秘密》，兩本都是不錯的參考書籍。接著，走出你原本習慣的領域，去找一份更好的工作吧！女人喜歡向前看的上進男人。即使是自給自足、經濟獨立的女人，她們仍然喜歡有能力保護她們、照顧她們的人。雖然她對男人擁有的資源並不怎麼感興趣，她的大腦仍然莫名奇妙的對上進的男人留下深刻的印象。他不需要像紐約建商唐納川普（Donald Trump）那麼厲害，他只要有計畫有目標而且看起來一副會實現的樣子就行了。到各大院校去上課，擴展一下自己的知識，這樣你就有許多話題可以跟女人聊天。男人提供女人食物已有幾千年的歷史了，所以去學學做菜，這可以刺激女人大腦裡最原始的區域。跳舞一直是女人喜歡的前戲，所

譯註⑬：Gérard Depardieu，法國影星，以『綠卡』、『大鼻子情聖』等片走紅國際。

以快點去學吧。一個會做菜、會跳舞的男人（不見得要同時進行），一定可以躍升爲城裡最受歡迎的男人之一。

你總是一眼就能看出此時是否是這個男人的黃金歲月——因爲他還是當年的那個髮型。

最後，去參加健身俱樂部，雕塑一下自己的體格。至少每三年改變一次你的髮型。男人的髮型和鬍型，往往會在他生命中最美好的那幾年停格，通常是在二十歲左右，此後就一直保持同一個型。

如今，再也沒有什麼理由能阻擋男人去擁有或實現這一生的願望，有的話都只是藉口。別再抱怨，去做就對了！

chapter 12

妳還認為我在說謊嗎？

男人為什麼說謊？

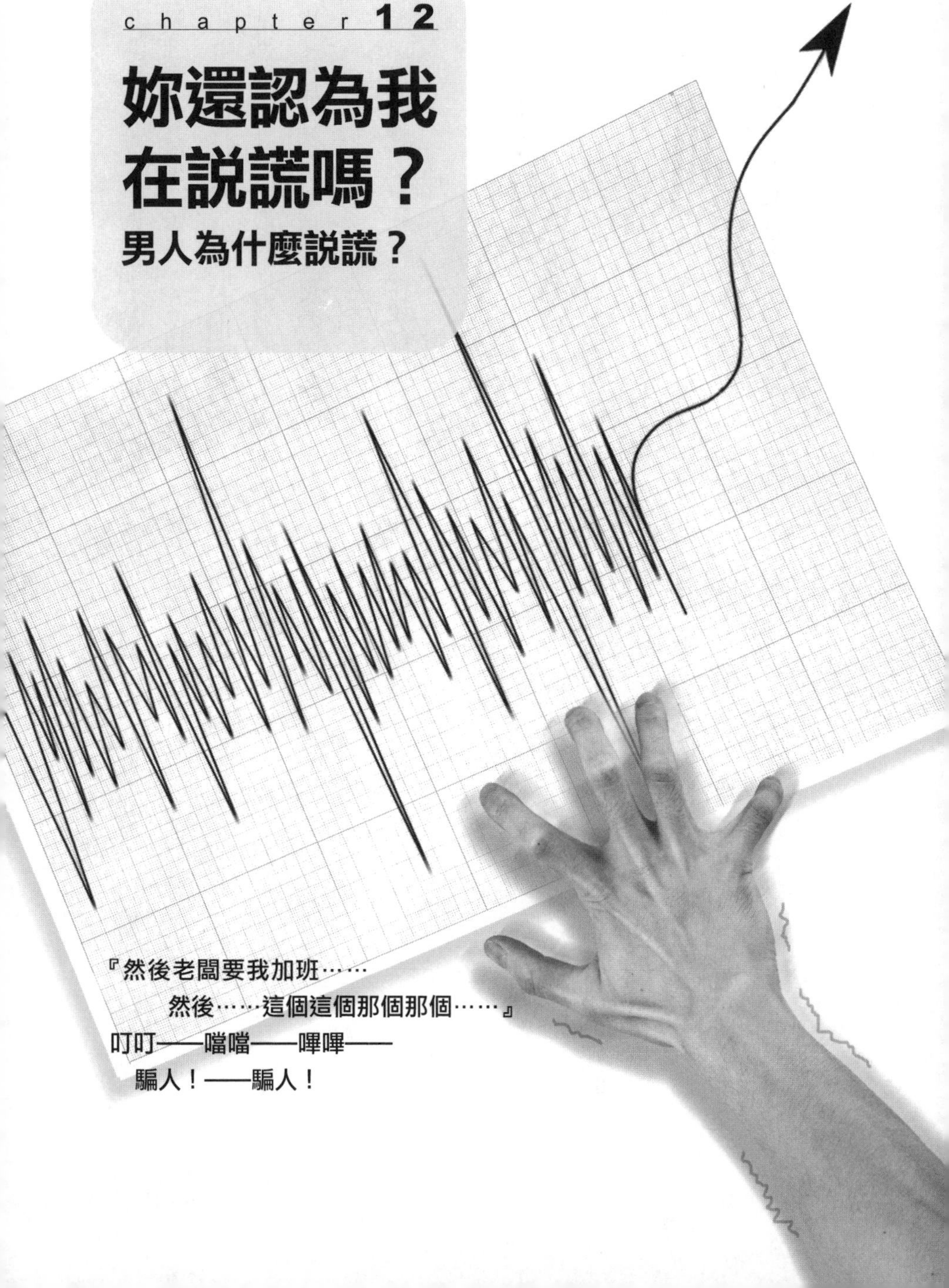

『然後老闆要我加班……

然後……這個這個那個那個……』

叮叮——噹噹——嗶嗶——

騙人！——騙人！

剛交往不久的男朋友發誓他已跟前女友斷得一乾二淨，但是妳很清楚在他辦公室的抽屜裡還放著她的照片，女性與生俱來的直覺告訴妳事情不大對勁，但是妳又無法明確地指出究竟是什麼事。你的女朋友昨晚並沒有依約與你碰面，因為她說她或她家的狗或甚至是她媽媽不舒服。但是你很清楚她根本沒生病，她媽媽已不在人世，而她也根本沒養什麼狗。你開始懷疑自己被騙了。

【撒謊】名詞，一種經過深思熟慮藉以誤導別人的行為。

誰會說謊？

每個人都會說謊。大部分的謊言都發生在第一次見面的場合，為的是呈現自己最好的一面。我們大部分的謊言都是無惡意，目的只是為了避免相處時可能發生的衝突或摩擦，人總是寧可聽好聽的話也不喜歡冷酷殘忍的事實，雖然好聽的話往往失真。假設你有一個超級大鼻子，你一定不會想聽真話，相反地，你寧可聽到別人說它看起來還好，或沒有人會注意到它，或者是它配你的臉大小剛好之類的話。

無論如何都要說實話，然後拔腿就跑。

——諺語

如果一整個星期裡你對任何人都實話以對，你現在會在哪裡？醫院？可能是牢房。如果你把心裡所想的話全都說出來，別人的反應又是如何？有一件事可以很確定，你會沒有朋友，甚至會丟了工作。想像以下的對話：

『嗨！瑪莉亞，妳看起來糟透了，妳怎麼不穿胸罩好支撐妳那下垂的胸部？』

『嗨！亞當，你怎麼不找個皮膚科醫師看看你臉上那些醜陋的面皰？你穿衣服實在沒什麼品味，還有你的鼻毛怎麼也不修一修？』

『蜜雪兒，妳買的新車是很棒，不過一定馬上就被妳那兩個好動的小孩破壞得體無完膚。妳已經當媽媽了，還這麼沒概念。』

以上這幾個例子就是實話。如果是謊話應該會這麼說：『嗨！瑪莉亞，妳今天看起來好美喔。』『嗨！亞當，大帥哥。』『蜜雪兒，妳眞是個好媽媽。』

你上次說謊是什麼時候？或許那也不算是說謊，你只不過是讓別人對你說了或沒說的內容，做了錯誤的聯想，或者是爲了不讓他們覺得難過而小撒個謊。你說你喜歡他們剛剪的髮型、喜歡他們家裡的裝潢或是他們的新男女朋友，而事實上你根本不喜歡，這或許只是小小的無惡意的謊言，也或許是你不想讓他們從你口中聽到負面的評價。有時候你也會在借貸或求職的時候，小小誇大其詞一番，爲的只是讓別人對你的印象更好一些。

當你想賣掉自己的車並且描述這車的車況有多好時，你可能會忘了提及馬達一直有漏油的狀況。當你介紹自己想賣掉的房子時，你可能會略過房子剛好在飛機航道正下方的敘述；你可能跑去染髮讓自己看起來年輕了七歲，或者把自己頭上僅存的幾撮頭髮梳到已經光禿的部位，好讓別人以爲你仍然頭髮茂密。你是否曾經蹬上高跟鞋好讓自己的腳看起來更修長？是否曾經裝上墊肩好讓自己看起更具權威？是否曾經裝假指甲，曾經化妝，或者不假思索說出假的體重或年齡？我們大家其實一直都在互相欺騙。父母沒跟小孩解釋性愛的眞相，而青少年沒跟父母坦誠已經有了性關係。不管你是怎麼解釋這些事，它們通通都是謊言。

只有敵人會對你說實話。朋友和愛人因爲責任的牽絆，對你永遠有說不盡的謊言。

——史蒂芬・金

我們撒謊的理由有二：爲了獲得利益或避免痛苦。幸好大部分人說謊時會覺得自責或不自在，而且這種情緒往往很難隱藏，所以別人很容易分辨出他說的是實話或是謊話。只要稍微練習一下，就不難察覺這些徵兆，並能解讀它們。

實例探討：席拉和丹尼斯

席拉接受丹尼斯的邀請到他家共進晚餐，她決定好好打扮讓丹尼斯印象深刻。當天她跑去找美髮師為頭髮做了金黃色的挑染，仔細地化了妝，穿了一件有一點露的性感洋裝，蹬上高跟鞋，戴上長耳環，在她耳後搽一些昂貴的法國香水，當她抵達丹尼斯的家時，她被丹尼斯為了他們的夜晚所做的一切準備感動不已。他把燈光調得昏暗，背景音樂輕輕地流洩著，火爐裡正燒著熊熊的火；當她走進餐廳，他送給她一大束花並且很紳士地引領她到點著蠟燭的餐桌，慢慢地倒一杯香檳給她，當她坐在那裡享受著這精心安排的一切，她注意到丹尼斯身上傳來『鴉片』刮鬍水的味道，她曾經跟他提過她喜歡這個牌子的味道。她所有的感官，包括視覺、聽覺、味覺和觸覺都已被熊熊點燃。他們聊著她的工作以及白天所發生的事，丹尼斯聚精會神的聆聽，臉上帶著微笑，雙眼注視著她並且鼓勵她多談一點，席拉已完完全全被這個男人的細心和體貼所征服，這跟她以前約會的對象完全不一樣，她猜想丹尼斯對她應該也有同感。

說得好聽一點，這樣的劇情就是所謂的浪漫燭光晚餐。然而以現實的觀點來說，這只是雙方為了個人利益以謊言建立起來的情節。丹尼斯的表現完全是為了從席拉身上得到好處，香檳、昏暗的燈光和輕音樂並不是丹尼斯原本正常生活的一部分，而且他平常聊的都是有關運動的話題，這所有的一切都是他精心設計的花招。丹尼斯想要的只是性，狂野不受拘束的性愛。關於這一點他已有足夠的經驗知道經過如此的場景安排，他一定能從席拉身上得到他想要的。

而其實席拉也跟丹尼斯一樣都是騙子。精心裝扮自己其實只是為了刺激丹尼斯大腦的性慾區，好讓他的睪丸素分泌增加。她刻意展現我們在第九章裡討論過的性訊息，好讓丹尼斯被她深深吸引。當晚他們所說和所做的都只是為了獲得個人利益。整個夜晚簡單來說，全部都是謊言和欺騙。如果把他們的意圖攤開來說的話，當然，兩人都會全力否認。

謊言的種類

謊言有四種：無惡意的謊言、善意的謊言、惡意的謊言以及詐欺的謊言。前面已經討論過無惡意的謊言是社會結構的一部分，可以避免我們彼此因冷酷無情且惱人的實話，而受情緒上的傷害或侮辱。而善意的謊言主要是為了幫助別人，例如，農夫把猶太人藏匿在家裡，卻跟尋找猶太人的納粹說沒看到他們，這樣的謊言被視為是英勇的表現。救難人員從起火燃燒的車子殘骸中救出一個小孩，並且騙他說他的爸媽都很好，是為了暫時避免他再度受到心理創傷。醫生跟垂死的病人說謊是為了提振他的精神，而開假藥——也就是所謂的安慰劑——給病人，在技術上也都算是說謊的一種。

研究顯示，百分之三十至四十的病人因為安慰劑而獲得慰藉。

而詐欺的謊言算是最危險的一種，因爲說謊者爲了從受害者身上獲得好處，而不惜傷害或做出對受害者不利的事。例如，我們有一個朋友叫葛莉，她有一個女性朋友曾經警告她要她小心正在追求她的一個男人。葛莉是個單親媽媽，平常很少參加社交活動，所以當她在兒子的學齡前幼兒遊戲班，碰到這個同樣是單親爸爸，而且看起來人很好、很細心、有才華且風趣的男人，最重要的是他也對她有好感時，她眞的很高興。這時候，那個女性朋友瑪姬很快地出面阻止這段發展迅速的戀情。她告訴葛莉那個男人是眾所周知喜歡玩弄女性的男人，是專門讓女人傷心的專家。葛莉一直以來對周遭的男人都很小心，盡量不想讓孩子對她男朋友也產生親人般的情感，弄得最後難分難捨，所以從那以後她就一直躲著他。一個月後，她無意中在一個當地的購物中心遇到他，懷裡擁著的正是滿臉春風得意的瑪姬。

詐欺的方式主要有兩種：一種是隱瞞，一種是僞造。就隱瞞來說，說謊者並沒有眞的說謊，他們只是隱藏事實。舉例來說，葛莉後來碰巧從另外一個朋友那兒得知，那個男人以前曾經騙走了他前女友所有的錢，然後遠走高飛留下他女友獨自面對破產問題，你很難去責備葛莉沒有告訴瑪姬這個事實，畢竟瑪姬可能也不會相信她，但是，如果葛莉眞的下定決心不告訴瑪姬，那麼她也因爲隱瞞而犯了說謊的錯。

而所謂的僞造就是以錯誤的資訊假裝是正確的訊息。瑪姬爲了把男人從葛莉身邊搶走，便給了葛莉有關那男人的錯誤資訊，這種謊言是事先預謀的，絕非意外。至於惡意的謊言目的不外是爲了報復和從中獲得好處。高知名度的人物，如演員、有錢人和政治人物，都是惡意謊言的圖利目標。記者把那些編造的故事投到坊間小報或小雜誌登出，即使明知消息不實卻仍然能賺到錢，這種行徑跟他們在商業界、政治界或演藝圈裡的敵人沒兩樣。

惡意的謊言或謠言，經常被拿來當做競爭時的武器。惡意的撒謊者利用這些謊言來破壞他們敵人的人格和名聲，而且通常造成破壞力很大且很久的後果。

某家公司可能會散播他們主要的競爭者有財務危機等這一類不實的資訊；同樣的，政黨間也會散播對方政治人物有不當性關係等消息。

兩個男人同時追一個女人時，如果一方故意散播另一個男人有性病或戀童癖的謠言，想想這會造成什麼影響。惡意謊言的基本運作情形是，無論謊言的內容有多麼駭人或多麼離譜，只要抹黑時抹得夠黑，還是有人會相信。

說謊者的類型

『天生的說謊者』是那種有良心但是對自己撒謊的能力很有自信，而且從小就開始撒謊的那種人。他們通常是爲了避免被罰才會對父母說謊。很多天生的說謊者利用這個天分長大後變成了律師、業務、談判者、演員、政治人物以及間諜。

『不會說謊者』是那種從小就被父母說服自己不會說謊，而且只要一說謊就會被揭發的人，這些可憐的笨蛋終其一生無論什麼事都只說實話，而且堅持『我從來不說謊』的原則，結果跟任何人相處總有不斷的爭吵與麻煩。

對女人來說最危險的莫過於『愛情騙子』。當愛情騙子開始這個遊戲時，女人總是搞不清楚狀況。有些愛情騙子善於掩蓋他們已經結婚的事實，有些假裝自己是律師、醫師或成功的企業家，藉以贏得尊敬和增加自己的吸引力。這些說謊者可以天馬行空的撒謊，而終究對女人造成情緒上、心理上以及常常是財務上巨大的傷害。這些愛情騙子的目的，一般不外乎想從不設防的女人身上榨錢、騙棲身之所、性愛以及其他的好處，而他只回報以取悅於她和假裝的愛。

心理諮商師的諮詢室裡常常坐滿有才幹及能力的女人，而她們都是愛情騙子的受害者，有些很聰明的女人甚至變成習慣性病人，因爲她不斷地被同一類型的男人所吸引。這些遭遇所帶來的情緒傷害以及自尊受損，遠比財產損失要嚴重得多，因爲它讓女人心理留下創傷陰影，甚至再也不相信男人。

愛情騙子內心總自以爲是〇〇七情報員。

浪漫說謊者無所不在，網路的聊天室裡尤其活躍，因爲在那裡大部分的人都在說謊，而且什麼話都說得出口。很多人認爲被浪漫說謊者吸引的女人都是易受騙甚至愚蠢的，但其實不然。愛情騙子最在行的，就是能花時間慢慢編織他們的花言巧語，讓他的受害者陷入泥淖不可自拔。她對於整個謊言變得盲目甚至欺騙自己，即使這些謊言在她的朋友和家人看來是那麼的明顯。

如果女人能跟姐妹淘達成協議，以後無論是任一方無可救藥的陷入愛情時，其他人可以私下調查對方有無前科或是否破產，這樣對女人來說是有幫助的。在世界上任何地方，應徵任何有關誠信方面的工作時，這些都是要被列入參考的條件之一，那麼在妳把自己的情緒和金錢都投入之前，做這些調查一點也不為過。任何以『愛會克服一切』這個理由來反對這個主意的女人，通常都是那些不斷重蹈覆轍的人。

人們總說喜歡事實眞相，但事實上，他們只是相信自己所愛的就是眞相。

——羅伯林格，美國作家、演說家

如果有人開始減重、不再宿醉、不再吸毒或開始工作，爲的只是讓自己變得更有吸引力，你可能會想質疑他們的動機。你對他們許下承諾之後，他們是否眞的能繼續保持輕盈、繼續工作、保持清醒和不再吸毒？江山易改，本性難移。只有建立在誠信上的關係才能持久。

『不斷改變』就是我們唯一不變的東西。

如果你是一家公司的人事經理，有人來應徵需要具備誠信特質的職位，你一定會極盡所能了解他們以及他們過去的紀錄對吧？同樣的道理尋找一位長期伴侶也需要考慮相同的問題，而最好的資訊來源就是這個人以前的朋友，如果你或是朋友可以『巧遇』他們，那麼他們的說法通常會比現有的相關資料更具參考意義。雖然這看起來有點窺探別人意味，但是在日本這是很多戀情進行前的標準步驟。日本家長會先把自己的兒子或女兒的履歷拿給未來的女婿或媳婦的家長看，在雙方第一次約會之前雙方家長都已經先面試和溝通過了，此舉可以避免這對被看好的夫妻將來發生不必要的醜聞事件。重點就是一定要清查任何你想要維持長久關係的人事物的過往紀錄，千萬不要成為浪漫的陳腔爛調或旺盛的荷爾蒙下的犧牲品。

誰最常撒謊？

大部分的女人會信誓旦旦的斷言男人比女人會撒謊，但是根據科學研究和實驗顯示，男人跟女人說謊的頻率一樣高，不同的是謊言的內容。女人說謊是為了讓別人好過一些，而男人說謊是為了讓自己看起來更體面。女人說謊是為了維持彼此的關係。女人覺得感覺這件事最難說謊。男人說謊是為了避免吵架，也喜歡吹噓自己在年輕的時候有多狂野。

女人說謊是爲了讓你覺得好過些，男人說謊是爲了讓自己看起來更棒。

這是男人和女人之間說謊上最大的差異。女人會稱讚別人一身新打扮很好看，即使她心裡認爲看起來不過像一只麻布袋裡面裝滿馬鈴薯。遇到同樣的狀況，男人會離得遠遠的以避免必須說謊。如果硬逼他給意見他會說這一身的裝扮『很有趣』或者『很可愛』，他會轉個彎例如『我還能說什麼？』或是『我沒辦法用言語形容』或者就直接說他很喜歡。而如果男人眞的在說謊，大部分的女人很容易就可以看出來，一個男人如果告訴妳他在一家國際公司裡是分發食物的第二把交椅時，他其實只是在必勝客裡擔任送披薩的小弟。

男人最喜歡問，而女人總是沒說實話的問題，首推：『我剛剛的表現如何？』

二〇〇二年，麻州艾摩斯特市麻州大學的羅伯特．費爾德曼（Robert Feldman）研究了一百二十一對夫妻，他請他們與他人交談。其中三分之一的夫妻被要求要表現得很討人喜歡，另外三分之一的夫妻被吩咐要表現得很能幹，而剩下的三分之一則保持他們原來的樣子即可。所有的夫妻在事後都被找去看自己當時錄影的情景，並且找出對話其間所有說謊的地方，不論這些謊言的大小。結果有些謊言只是無惡意的謊言，例如他們說喜歡某人但其實他們根本不喜歡。而有些謊言就很誇張，例如他們聲稱自己就是某搖滾樂團的大明星。

整體而言，有百分之六十二的參加者平均每十分鐘會說二至三個謊言。

說實話會讓你得到解脫，但首先它會讓你變得很討人厭。——梅爾．潘柯斯特

最常見的謊言就是自我欺騙，它讓人在聲稱自己已經戒菸的同時，一天內又抽了兩包雪茄，或者說服自己相信高卡路里的點心不會影響節食計畫。

證據明顯指出，女人撒的謊跟男人一樣多，只是撒謊的內容不一樣罷了。由於女人天生對肢體語言和聲音所傳遞出來的訊息特別敏感，導致男人經常被抓包，也因此給人男人比較會撒謊的錯覺。其實不然，只是他們常常被逮到而已。

男人常對女人撒的謊

『我沒醉』，這個謊很容易分辨，尤其當他的聲音聽起來像『我—我沒沒沒醉—』的時候，這個時候沒有人會說他真的沒醉，除非這個人也醉了。

『我跟那個女人絕對一點關係都沒有』，一個在外面偷腥的男人絕對不會承認這一點，並且會搬出聽起來合理的理由來度過這一關，因爲他心裡明白說實話絕對得不到什麼好處。

『跟以前女友的嘿咻眞是糟得要命』，性愛對男人來說是生命中永不間斷的事情之一，無論何時何地，它永遠是美好的。如果一個男人說他跟以前女友的性愛很糟，那他鐵定在說謊。如果他告訴妳說，他跟以前女友的性愛比跟妳的好，他又在說謊了，可能是故意爲了氣妳。對他來說性愛從頭到尾都是一樣的——美妙極了。

『我們只是朋友。』他說他們只是多年的死黨，對她絕對沒有半點其他的興趣。但是他總是把妳們倆隔得遠遠的，而且不讓妳跟她碰面。其他種的說法還包括：她是蕾絲邊；她只是需要個朋友；她只是需要有人陪她聊聊；她現在正處於低潮而我只是想幫助她；她生病了希望我能去看看她；她對我沒有感覺。事實上她只是覺得尷尬而已，這就是爲什麼她不希望妳也在場。

謊言失敗的原因

大部分謊言其實很容易被揭穿，因爲謊言裡多半摻雜著情緒，因而很容易就漏出視覺上及言語上的警訊。謊言越大，摻雜在其中的情緒就越多，更多的蛛絲馬跡就會洩漏出來。掩飾這些漏洞，對大多人來說是很大的情緒掙扎。因爲摻雜了情緒，所以跟一個人愈親密你就愈難對他撒謊。例如，如果丈夫眞心愛自己太太的話，他就很難對她撒謊，可是如果戰爭時他被擄爲戰俘，他便可以很容易地撒謊。從這裡可以看出病態說謊者之所以能夠說謊的關鍵，因爲他們對任何人都沒有情緒反應，所以任何謊言對他來說都很容易。

至於你能否看出這些線索，則又是另一回事了。

為什麼女人如此擅於揭發謊言

大部分男人都知道當著女人的面跟她撒謊，即使是微不足道的小謊也很難不被揭穿。如果眞得撒這個謊，那一定得透過電話才行得通。而大部分女人卻沒有這方面的困難，她們很容易騙過男人而不被揭穿。

根據腦部核磁共振掃描的結果顯示，當女人與別人面對面溝通時兩個大腦半球平均總共有十四到十六個關鍵區域在運作。這些區域的功能在於解讀字詞的意義、音調的變化、身體釋放出的訊息，而且主控了所謂的『女人的第六感』。反觀男人，總共只有四到七個區域在運作，因爲男人的大腦用在空間問題的區域要比用在溝通上的來得多。

女人的『超級第六感』主要作用在於防禦入侵她領域的陌生人以及與她的小孩溝通。她需要這樣的能力來照顧她的小孩，因爲她可以很快地分辨出疼痛、害怕、飢餓、受傷、傷心及快樂的差別，她必須迅速地評估那些接近她家的人的態度是友是敵，如果沒有這樣的能力，會讓她暴露在危險之中。同樣的道理，女人甚至可以解讀動物的情緒。她可以告訴你這隻狗是快樂、傷心、生氣或是尷尬。大部分的男人甚至無法想像一隻尷尬的狗會是什麼模樣。專門打獵的男人他的目的只有準確擊中獵物，絕不會是要跟獵物聊聊、給獵物忠告或了解獵物。

男人需要的是準確擊中獵物，而不是跟牠來個深入、有意義的對話。

我們之前已經討論過，女人的大腦功能是多軌式的，這讓她們能在同時間處理許多不同的資訊。這給了女人額外的優勢，得以在說話的同時，不僅能聽對方的回應，也能解讀對方身體釋放出來的訊息。而男人單軌式的大腦，同一時間裡只能注意單一資訊，結果遺漏了許多身體釋放出來的訊息。

美國聯邦調查局的探員都會接受分析『微表情』（micro expression）的訓練，說謊者在撒謊的瞬間都會有細微、瞬間即逝的表情，這可以利用攝影機以慢動作顯示出來。例如柯林頓在回答有關柳斯基的問題前，就有一個瞬間皺眉的小動作。女人的大腦構造就是用來解讀這些訊號，這不僅解釋了爲什麼女人不容易被騙，也解釋了女人通常比男人會是更敏銳的談判者。

為什麼女人總是記得

東卡羅來納大學心理學助理教授艾力克．艾華赫（Erik Everhart）與他在水牛城州立紐約大學的同事發現，八歲到十一歲的小男生和小女生，在記憶人的長相和表情時，所用的大腦部位並不一樣。小男生用的大多是右腦而小女生則是左腦。他們發現小女生比較容易觀察到臉部表情的變化，而且對於他人心情的變化也比較敏感。解讀人的嘴形以及眼神，比判斷整張臉的情緒更需要細微的辨別能力。

女人非常擅長記住自己說過什麼謊以及是對誰說的謊，而男人通常會忘記自己說過的謊。掌管大腦記憶儲存、讀取及語言的海馬迴，裡面佈滿雌激素接收器，而且這些接收器在小女生體內成長的速度比小男生快，因此讓女人特別能夠記得和情緒有關的事件。

給男人的建議

別浪費你的時間當著女人的面撒謊，這是非常困難的一件事，應該打電話給她或寄電子郵件給她，因為女人不但擁有揭發謊言的超級能力，而且這些謊言在將來若發生口角還會被她拿出來當彈藥攻擊你。

年輕人比較喜歡撒謊、欺騙、偷竊

人年紀越輕就越容易欺騙別人，二〇〇二年美國有一份問卷調查找來了全國將近九千個青少年和成年人，結果發現十五到三十歲的人比較會撒謊、欺騙和偷竊。這份問卷的對象包括了三二四三個高中生，三六三〇個大學生以及二〇九二個成年人。調查結果顯示，有百分之三十三的高中生和百分之十六的大學生承認在過去一年裡曾經偷過店家的商品。

高中生和大學生裡有三分之一的人承認，如果能得到自己想要的工作，他們願意在填寫履歷表、應徵工作，或面談時說謊，有百分之十六的高中生甚至承認他們至少已經做過一次這種事。有百分之六十一的高中生和百分之三十二的大學生承認過去一年裡考試曾經作弊。

『我還沒做的事情會讓我惹上麻煩嗎？』學生問。

『不會。』校長回答說。

『那好，我的家庭作業還沒有做。』

調查顯示，有百分之八十三的高中生和百分之六十一的大學生承認過去一年裡曾經對父母親撒謊。研究者發現，所謂的不誠實以及不道德的行爲，在超過三十歲的成年人中發生的機率較小，而兩性撒謊的次數不相上下。糟糕的是，十五到三十歲的人認爲『大部分人都會爲了要得到自己想要的東西而撒謊或欺騙。』

根據這個研究，你很容易就會說美國人根本是一大票騙子，但是類似的研究顯示，許多西方國家都有相同的趨勢，而這些國家以往在做有關誠信測試時的分數向來都是很高的。

很不幸地，這個道德危機的徵兆正在世界各地蔓延，而且眞實反映了社會價值觀的改變。父母教導小孩誠實至上的原則的同時，也教導他們在收到生日禮物時假裝自己很喜歡是禮貌的表現，他們還教小孩類似以下的謊言：『不要給我擺出這樣的表情』、『奶奶親你的時候表情要高興一點』、『不要看起來一副苦瓜臉，高興一點』等等。

小孩對於撒謊這件事所得到的訊息是混淆不清的，這會對他日後長大成人造成行爲上的影響。童言最眞實，但是他們往往因爲說了不該說的實話而遭譴責，例如，一個胖子走在街上與一個小孩擦身而過，你會聽到那小孩問他媽媽：『爲什麼那個男的那麼胖？』

許多父母不了解他們對小孩嚴格的懲罰，往往是使他們日後成爲一流說謊者的原因之一。很多撒謊的行爲模式其實在小時候就已扎根，長大後又被某些強勢的人所加劇。

當所有你認識的人都騙你

有些人認爲世界上沒一個人可以相信，大家都是騙子。他們之所以會這樣認爲主要有兩個原因：第一，他們自己平常就習慣說謊，所以他猜測大概別人也都跟他一樣。第二，也是最主要的原因，因爲他們的行爲反應強迫別人對他們說謊，換句話說，他們讓別人很難對他們說實話，因爲別人知道他們對實話的反應有多麼激烈和情緒化。如果別人知道你聽了實話後會變得很生氣、很受傷或很想報復，他們不惜任何代價也不會告訴你實話；如果別人知道你很容易生氣，那麼你將永遠不會知道別人眞正的想法或感受，因爲他們會扭曲事實來對付你不怎麼好的反應。如果你要孩子跟你說實話，而你又因爲事實不怎麼令人愉快而處罰他，那麼你是在教導他爲了保護自己再也不要說實話。

如果你覺得周遭的人都對你撒謊，那麼你必須先好好審視自己的行爲和態度，一個巴掌拍不響。

為什麼朋友和家人的謊言讓你最受傷

關係越是親密的人，他的欺瞞所帶給你的痛苦就越大，因爲你越是不願意將這個人從你的生命中剔除。例如，父母親或兄弟姐妹對你欺瞞所造成的傷害就很深，因爲越是親密的人，我們就越信任他而且對他完全敞開心胸。兄弟姐妹或孩子撒的謊對你所造成的傷害要比友人造成的傷害大，但是你還是會原諒他們，因爲畢竟他們永遠都是你的兄弟姐妹和孩子。很親密的朋友對你撒謊你也會很受傷，但是你可以將這個人排除在你的生命之外，至少可以暫時不跟他們聯絡。買賣交易的時候，我們不排除賣二手車的業務會撒謊，如果他眞撒了謊我們一點也不會覺得驚訝，只要再也不跟他碰面就好。

揭穿謊言的辦法

人在說謊的時候都會覺得不自在，他們會不自覺的讓自己和他們的謊言保持距離。美國聯邦調查局近來在分析嫌疑犯造假的供詞時，發現了這個有利的線索，撒謊者對自己所撒的謊會留下一些跡象，而且會避開『我』或『自己』這樣的字眼。比如說，有人本來跟你約好了要碰面結果卻沒出現，如果他們事後打電話給你說『車子壞了而且手機電池剛好沒電』而不是『我的車子壞了，而且我沒辦法打電話給你，因爲我手機剛好沒電』，那麼你應該很直覺地懷疑這句話的眞實性。另外，撒謊者也會刻意避開撒謊內容人物的名字，他們比較喜歡這麼說，『我跟那個女人沒有發生任何關係』而不是『我跟莫妮卡沒有發生任何關係』。

説謊者與大象

跟大象一樣，習慣性說謊的人從來不會忘記任何細節，因爲他已經在腦子裡不斷重複預習他的謊言，所以他的表現通常都很流暢一點瑕疵也沒有。如果你問某人上個週末做了什麼事，通常他的反應應該像：『嗯……吃完早餐我去找我哥哥，然後……嗯……不對，我是吃過午餐才去找他的，因爲我先把車子送去修理……』

謙受益，滿招損。——中國諺語

人在回想自己做了什麼事的時候，通常會突然停止，改變方向，試著找出正確的順序，但說謊者不會，他早已準備好完美、事先演練過的台詞，絕對不會記錯順序。

一試再試

如果你認爲某人對你說謊，試著假裝你相信他的每一句話，到最後他會因爲對自己的表現過度自信而露出馬腳。試著讓說謊者再重複他剛剛撒的謊話，箇中好手因爲經過無數次的練習，他們或許可以再說出和前一次相同的答案。然後，暫停一下，讓這些說謊著以爲他們已經安然度過，然後再要求他們重複第三次。因爲沒有預期到會有第三次的演出，他們早已卸下心防，這一次他們給的答案就不完全一樣了，故事聽起來也有所出入。

因爲撒謊帶來的壓力，說謊者的音調也會變得較高。如果他收到夏綠蒂傳來的簡訊，卻謊稱對方打錯號碼了，或是他從來沒聽過這個人，妳又注意到他像金絲雀嘁嘁喳喳地解釋著，那麼就在妳的嫌疑表單上記上一筆吧。

如何聽出弦外之音

你曾經遇過有些人講話一開始很有說服力，但是話說得越多說服力就越弱的情形嗎？我們來檢視一些最常用的字句，這些字句可以拿來判別對方是否試圖隱藏眞相，或者他們言不由衷的在誤導你。一些字眼像是『坦白說』、『說眞的』、『老實說』通常都表示說話的人本身並沒有像自己聲稱地那麼坦白、那麼眞誠和老實。敏感一點的人下意識都能解讀這些字眼背後所代表的意義，而且馬上會有『直覺反應』告訴自己對方正試圖騙自己。例如，『老實說，這樣已經是最便宜了』。解讀後的意思是，『這並不是最好的價錢但是你說不定會接受』；『我愛你』要比『我眞的很愛你』要可信得多；一聽到『毫無疑問地』就不由得令人生疑，而『不用懷疑』絕對是一個警訊。

『相信我』通常意思是指『如果能夠讓你相信我，你會爲我做任何事』，一個人說『相信我』這句話的程度要視欺騙的範圍有多大而定，對方覺得你大概不會相信他的話，或者他說話的內容不具說服力，所以自己就先加了一句『相信我』、『我不是開玩笑的』以及『難道我會騙你嗎？』等等這樣的詞句。

如果你眞的誠實、坦白、可信、老實，你根本不必去說服別人來相信你。

對稅務人員撒謊和對你老婆撒謊有什麼差別？

如果被抓包，稅務人員還是會想把你榨乾。

有些人不小心養成了用這些詞句的習慣，他們下意識地使用這些詞句帶出眞實的內容，卻往往讓原本眞實的東西聽起來變得不眞實。問問你的朋友、親戚和同事，在和你對話的過程中，是否有發現到這些辭彙，如果有（這非常有可能），你就不難了解爲什麼有些人總是不願意和你建立互信的關係。

而像『OK』、『對吧』這樣的字眼會給聽者一種強迫接受的感覺。『你也同意，對吧？』聽者被迫要回答他的『對』，即使他根本不見得同意講者的觀點。『對吧？』同時也顯示出講者對聽者的聽力和對話理解能力有所質疑。

『只』

『只』這個字常被用來降低接在後面的句子的重要性，好減緩說者自身的罪惡感，或把不愉快的結果所可能招致的指責撇開。『我只需要你五分鐘的時間』，這句話最常被會浪費時間的人拿來用，以及那些會占用你一個小時之久的人；而『我需要你五分鐘的時間』就很明確，而且聽起來可信得多。『只要十分鐘就好』這種說法通常泛指二十到六十分鐘的意思。『只要四九九元』、『只要一千九百元保證金』通常用來說服別人這樣的價錢是很低的。『我只不過是個平凡人』是那些捅了樓子卻不願意負責任的人絕對會說的話。『我只是想告訴你我愛你』是那些其實想要說『我愛你』的膽小鬼的面具；而當男人說『她只是朋友』時，沒有一個女人會相信他。

當你聽到有人說『只』的時候，你要思考爲什麼這個人要降低自己說話內容的重要性。是因爲缺乏自信心說出自己眞實的感受？還是他們刻意想隱瞞實情？或是他們想避開自己應負的責任？仔細檢視他們話裡的『只』，詳加思索對話的前後文，就能發現答案。

當別人說『我試試看』

『試試看』通常都是表現長期未達水準和失敗的人，事先聲明自己可能不會成功，或預測自己會失敗所會說的話。當被要求對一段感情忠誠時，他們可能會回答『我試試看』

或具有同樣意義的『我盡量』，這兩句話都預言著即將到來的失敗，解讀這幾句話的意思就是，『我不知自己是否有能力做到』。

當這個人最終還是失敗時，他會說『我已經盡力了』，證明他本來就意願不高，或對自己的能力信心不足。當你聽到這一類的話時，應該要求這個人明確表態『會』或『不會』，或者『要』或『不要』。因爲寧可一開始就表明不想做這件事，也不要『試試看』然後失敗。『試試看』跟『有可能』不過同樣是用來安慰自己的話罷了。

『無意冒犯』以及『我完全無意冒犯』表示說者對於聽者的尊重寥寥無幾或者完全沒有，甚至還有點輕蔑的意味。『非常感謝你的建議，我無意冒犯，但是請容我這麼說，我不認同你的看法。』這等於在拐彎抹角的說：『簡直是一堆屁話。』是在反擊聽者，同時又拿個軟墊子接住他。

以下是一般常見拿來說服別人相信講者說的是實話的句子，其實事實上他們只是想說服你相信他講的話。但是記住並不是說了這些話的人一定不誠實，還要視內容而定。

『相信我』

『騙你幹嘛』

『坦白說』

『我老實告訴你』

『我爲什麼要騙你？』

『我對你完全說正經的／說實話／說眞話』

『我像會做那種事的人嗎？』

另外一種常見避免被抓包的伎倆則是，說謊者常常搬出一些具威信的人以掩護自己免於責備。以下是幾個常見的例子：

『有老天爺爲鑑』

『我對著我媽的墳墓發誓』

『讓上帝來做我的見證人』

『我對天發誓』

『不然我願被天打雷劈』

這裡講的並不是指虔誠的宗教信徒，這些人根本不覺得需要拿他們的信仰或教條來取信於你，因爲他們隨時都在實踐自己的信仰。你絕對不會聽到教宗說：『我對我爸的墳發誓，如果我所言不實，出去就被天打雷劈。』

同樣的，有些人會搬出自己所屬的團體，或者是他們曾經獲得的獎項，甚至搬出自身的家訓來取信於你，下列說法你可能並不陌生：

『我父母告誡過我不可以這樣』

『我是忠心的員工』
『我是某社團或某俱樂部的成員』
『我不是那種人』
『我不會爲了這種事自甘墮落』
『我曾經得過（獎項）』

重點在於眞正品德高尙的人不需要再三向別人證明自己，他們時時遵守自己的信念，而你也看得出來。上述的說法都是用來避免直接回答問題時的藉口。

利用電腦抓騙子

隨著電腦科技日異月新，拜科技之賜目前已經有三種有意思的方法可用來測謊。測謊器是目前最眾所周知的謊言偵測器，利用人體的呼吸、相對的血流量和脈搏來判別。如果某人在說謊，測謊器可以馬上偵測出他生理上的變化，包括心臟跳動次數增加或減少、血流量、呼吸和出汗的變化等。如果這個人很誠實就不會有類似的生理變化。測謊器的準確度目前仍有相當大的爭議。根據美國測謊協會（American Polygraph Association）表示，過去二十五年來已經有超過兩百五十份的研究報告，證實測謊器是準確的。近來的研究更指出新一代電腦化測謊系統，準確度幾乎高達百分之百。這種儀器現在在美國電視上的談話性節目都可以看到，它們被用來判別來賓是否有罪，或對伴侶是否忠誠。

聲帶會說話

所謂『聲音壓力分析』是藉由電子儀器，透過企圖欺騙時所產生的壓力，來判斷欺騙意圖的真實性和程度的大小。這種檢測儀器能偵測到人類的生理反應，例如決定『打或跑』的反應。這項科技據說對電話或錄音帶的效果特別好，而且製造商聲稱準確率高達八成。可攜帶型一台大約五十元美金。人在說謊的時候因為聲帶的血流量變少，導致說話聲音張力改變，這種儀器就是利用計算聲音的壓力變化來進行判別。在總統選舉期間，《時代雜誌》的記者利用這種機器分析高爾和布希。結果顯示在他們三場辯論會中，布希總共說了五十七個謊，而高爾說了二十三個謊。

掃描說謊的大腦

賓州大學醫學院的精神病學教授羅本．葛爾（Ruben Gur）及丹尼爾．蘭勒本（Daniel Langleben）帶領進行一項實驗，他們利用核磁共振儀觀察，發現到人類的大腦在說謊和說實話時的運作方式是不同的。他們給十八個自願受試者每人一張紙牌，如紅心A，以及二十元美金。每個人的頭上都有一部核磁共振儀以觀察他們的腦部活動。實驗一開始，電腦給每個人的紙牌都不一樣。當電腦顯示是正確的紙牌時（此處是紅心A），根據實驗規則，自願受試者仍然要說自己拿到的是錯誤的紙牌。

這些受試者另外亦被告知，如果他們能夠騙過電腦，得到的酬勞就會更多。但其實電腦早就知道他們會拿到什麼牌和什麼時候會說謊。

趁受試者正在說謊時，掃描他們的腦部會發現，前扣帶腦皮質的活動量有顯著增加，前扣帶腦皮質位於額頭中間後方三吋的左運動前區裡，大約是頭骨內距離左耳不到幾吋之處。

葛爾和蘭勒本認爲這個發現代表著測謊器將功成身退，因爲核磁共振儀還可以分辨不同種類的想法。例如，對測謊器來說，一個人撒謊時和想著終於要到來的假期而覺得很興奮時的腦部訊息是一樣的，然而很明顯這兩種想法截然不同。核磁共振儀能提供立體的掃描影像，所以就沒有這種問題了。

聖安東尼的影像研究中心（Research Imaging Center）的副教授高家宏博士（Dr Jia-Hong Gao）也進行過類似的實驗，結果發現當人類假裝自己忘記的時候，左右兩大腦都會用到。影像資料顯示大腦有四個主要區域在活動，分別是前額葉和額葉、頂葉、顳葉以及下大腦皮質區，其中頂葉區是整個大腦的計算中心。

來自聲音的線索

聲音裡有三個因素可以讓說謊者無所遁形，分別是音調、速度和音量。人面對壓力所產生的緊張，會使聲帶緊繃而使聲音變得短促，說話的速度也會變快音量也變大。研究顯示百分之七十的人在說謊的時候音調會提高。然而相反地，如果這個撒謊者很小心，爲了確保自己撒的謊有說服力，他們會故意說得比較慢，同時降低音量和速度。如果有人毫無預警地被當場揭穿，他的話裡頭就會充滿許多嗯、啊、呃、結結巴巴、說說又停停的，因爲他沒有足夠的時間事前排練謊言的內容。這一點男人比女人明顯，因爲他們大腦裡控制語言的構造要比女人少許多。當男人說話含糊不清時，很有可能是在說謊，這表示他腦子裡同時想著許多事情，他正試圖一次把它們通通擺平。

當別人對你的問題支吾其詞，要保持警戒心。

要謹記這裡我們所討論的種種跡象只能顯示這個人正處於緊張的狀態，並不能保證他一定在說謊。有少數人視撒謊如家常便飯，根本看不出他有任何緊張的跡象，而對於政治和宗教狂熱者來說，他們是眞的相信自己的謊言，所以也不會表現出任何緊張的線索。但是絕大多數的說謊者大多時候都看得出跡象。

解讀肢體語言

我們在所著《肢體語言》這本書中，曾解釋人與人之間有高達百分之六十以上的溝通，是透過身體釋放出來的訊號達成的，我們非常建議你閱讀這本書，因爲有關這方面的資訊，我們在此不多細談。在此我們要討論的是人在說謊時，你所能輕易看到的一些跡象。我們發現男人和女人在覺得懷疑、猶豫，在誇大其詞和說謊時，常常會有用手去摸臉的姿勢出現。男人的姿勢尤其容易被發現，因爲男人的動作比女人大，而且男人更常有這種動作。這些動作包括揉眼睛或搓鼻子、拉耳朵或調整衣領等。以柯林頓爲例，他在大陪審團面前回答有關柳斯基的問題時，總共就摸了臉和鼻子二十六次。

不要輕易下判斷

千萬不要以一個姿勢就輕易下判斷。如果有人在揉眼睛，他可能眞覺得癢或痛或疲倦。我們發現說謊時的習慣動作都是接二連三來的，所以你至少應該看到三個以上的特別動作後，再懷疑對方是否在說謊。一個人摸自己的嘴巴或鼻子、揉眼睛、拉自己的耳朵、抓脖子、把手指頭放進嘴裡或捏自己鼻子時，不能斷然判定他在說謊，但是你可以很明白的知道，他們腦子裡正在想一些事卻沒有告訴你，他們不見得是要騙你，但八成對你隱瞞了些事情。如果他們一直摸自己的臉然後跟你說『相信我、信任我、說眞的』以及『老實說』時，你可以很合理的懷疑自己剛聽到的是謊言。

微笑

男女說謊和說實話時的笑容是一樣多的。然而眞正的笑容來得快而且是對稱的，也就是說左右兩邊的笑臉看起來是對稱的。可是假的笑容來得就很慢而且不對稱。人臉上的表情如果不是自己心裡眞正的感受，那看起來就會很不自然，換句話說就是笑得很僵。

關鍵在於眼睛

一般來說，別人都會告訴你騙子跟你說話時都不會看你的眼睛，在西方和歐洲國家都是這樣教育小孩子的，他們的媽媽會說『我知道你在說謊因爲你不敢看我的眼睛』。但是很多亞洲人、日本人以及南美洲國家，他們認爲直視眼睛是不禮貌或具侵略性，所以這個理論對他們來說就不適用。此外，經驗老道的騙子對於眼神的掩飾已駕輕就熟，所以眼神交會與否只能當做參考而已。不斷眨眼睛是個値得注意的訊號，因爲這也是人緊張以及眼睛面對太多關注的眼神造成的結果。當你問人家問題時，他眼睛轉動的方向也可以用來判別對方誠實與否，因爲它顯示了這個人正在用大腦的哪個區域回答問題，而這幾乎可就假不了了。通常慣用右手的人在回想曾經發生過的事情時會連結到左大腦，而眼睛會往右看，如果他是在無中生有編故事則會連結到右大腦，眼睛往左看；簡單地說，慣用右手的騙子眼睛會看向左方，而慣用左手的騙子則看向右方。這個觀察方法並不是百分之百正確，但是絕對是揭發謊言的重要辦法之一。

小木偶效應

利用特殊的影像攝影機，拍攝身體血液的流動情形，會發現人說謊時鼻子會變大。由於血壓增高導致鼻子腫脹，同時造成鼻子末梢神經有刺痛的感覺，也因此說謊的人會有搓鼻子的動作產生。人在難過或生氣時也會有同樣的情形發生。

位於芝加哥的嗅味覺治療研究基金會（Smell and Taste Treatment and Research Foundation）的研究人員發現，當人在說謊時會分泌一種叫兒茶酚胺（catecholamine）的化學物質，刺激鼻子裡的組織腫脹。

光憑肉眼看不出鼻子腫脹的情形，但是值得注意而且有趣的是男人的陽具也會跟著膨脹。所以，當你不確定這個男人是否說實話時，就脫他的褲子。

以下簡單列出男人可能沒說眞話的跡象：

- 臉部肌肉抽動，這是大腦抑制臉部不要有任何反應所導致的結果。
- 不敢直視眼睛。他的眼睛會看著其他地方。如果房間有門，他通常都是望著門看。
- 雙手或雙腳交疊，防禦的味道十足。
- 抿嘴微笑，這是被逼出來的微笑，男女生都會用來偽裝自己的誠意。
- 眼睛的瞳孔縮小。

・說話速度變快。撒謊的人都希望對話快點結束。
・搖頭『否認』嘴巴卻『承認』，反之亦然。
・手藏起來。男人覺得把手藏在口袋裡比較容易說謊。
・說話發音錯誤或含糊不清。撒謊的人認爲這麼做就表示他沒有在說謊。
・誇張的友善與笑聲。他希望你喜歡他，這樣你就會相信他。

如何避免被騙

・坐在較高的椅子上。這具有微妙的恫嚇作用。
・雙腳不要交疊，展開雙臂，身體往後傾。讓你自己看起來一副『坦開』心胸接受事實的樣子。
・絕對不要告訴他們你早就知道的事；也就是說不要當面指出你知道他在說謊。
・侵犯他們的個人空間。當你靠得太近，他們會覺得不自在。
・模仿他們的姿勢和儀態。這會建立一種親近友好關係，他們就更難對你撒謊了。
・聆聽他們說話的模式，並且以相同的模式與他們對話。如果他們習慣說『我有聽到你說的話！』或者『那聽起來不錯』，你可以知道他是屬於聽覺型；如果他們習慣說『我應該有看到它』或者『我看得出你的意思』，你可以知道他們是屬於視覺型；如果他們習慣說『我好像被一噸重的磚塊打到一樣』或者『我的思路已經凍僵了』，你可以知道他們是屬於感覺型。那麼你就以同樣的模式與他們對話。有一個很棒的識別辦法，就是請他們描述英文字母。你會發現有些人眼神凝視前方，好像看到了小學時代寫在黑板上的字母（視覺型），有些人直接開始朗讀abc（聽覺型），而有些人就直接把字母打出來（感覺型）。如果你抓到了他們的思路模式，你們之間馬上就可以建立起友好關係。

・給他們一個『台階』下。讓他們可以輕鬆一點把實話講出來。假裝你沒聽清楚或者表示你不懂他們的意思，一定要留一個機會讓他們撤回謊話並說出實話。

・保持冷靜。千萬不要一副驚訝或震驚的表情，以同樣的態度面對他所說的話，如果你第一次的反應就很負面，那麼你將永遠失去聽眞話的機會。

・不要責怪。咄咄逼人的問題例如『你爲什麼不打電話給我？』或者『你是不是另外有別人？』會讓說謊的人更不願承認自己在說謊。要以溫和一點的方式例如『你剛剛說你到哪裡去了？』以及『你說你幾點到餐廳的？』

・給他們最後一次機會。忘了他剛剛的謊話然後說：『我們該怎麼避免同樣的事情再發生？』如果他們認爲你不再計較，他們會比較願意全盤托出，頂多最糟就是，他們會再想想其他的謊言。

最後是我們請女性讀者寄來的意見，內容是男人的話其背後眞正的意義。

男人用語字典

他說的話——謊話

『我找不到。』

『男人都是這樣子的。』

『需要我幫忙做晚餐嗎？』

『我最近做了許多運動。』

『我們要遲到了。』

『休息一下，親愛的，妳太辛苦了。』

『聽起來滿有趣的，親愛的。』

『我們不需要以物質來證明我們的愛。』

『這眞是一部好電影。』

『妳知道我的記憶力一向不好。』

他真正的意思——真話

『我看不到，它沒有直接跑到我的手裡，所以一定不見了。』

『這沒什麼理性可言。我的不正當行爲也可以用這個解釋。』

『怎麼到現在還沒有把晚餐擺上桌？』

『遙控器的電池沒電了。』

『我有正當的理由可以飆車了。』

『吸塵器的聲音蓋過電視了。』

『妳還沒說完嗎？』

『我又忘記結婚紀念日了。』

『電影裡有槍有刀、有飆車還有裸女。』

『我記得「科學小飛俠」主題曲的歌詞，記得我初吻女友家的地址，記得我以前每一輛車的大牌號碼，就是不記得妳的生日。』

『我只是想妳所以買了玫瑰花送妳。』

『快叫救護車來，我快死了！』

『我聽到了。』

『妳穿這樣超好看。』

『我好想妳。』

『我沒有迷路，我很清楚我們在哪裡。』

『衣服很好看。』

『我愛妳。』

『我可以跟妳跳舞嗎？／我可以打電話給妳嗎？／一起去看電影或吃晚飯好嗎？』

『妳願意嫁給我嗎？』

『妳看起來很緊張，我來幫妳按摩一下。』

『我們來談一談。』

『賣花的小姐眞是個辣妹，凹凸有致，我想要近一點看看她。』

『我切到手指頭了。』

『妳在講什麼我根本沒聽進去，但是妳可以不用再說了。』

『拜託別再試了，我快餓死了。』

『我找不到襪子，孩子們肚子餓了，而且衛生紙也沒有了。』

『別人再也看不到我們了。』

『胸部很漂亮。』

『我們現在來做愛吧。』

『我最終還是要把妳騙上床。』

『以後妳再跟別的男人做愛就是違法，而且我需要一個人來代替我媽。』

『十分鐘內我一定要和妳上床。』

『先試著讓妳以爲我是有深度、眞誠的男人，也許妳待會兒會想跟我上床。』

『我曾經把髒毛巾丟到洗衣籃旁邊一次。』

『她拒絕和我上床。』

『我眞的有幫忙做家事。』

『她是激進、主張男女平等的女同性戀。』

男人永遠無法了解女人，女人永遠無法了解男人，這正是男人和女人永遠無法了解的事。

chapter 13

當獵人收起他的弓

男人退休以後

每日行程表

9:00AM　起床
9:00AM~8:00PM　惹我老婆生氣
9:00PM　睡覺

在已發展國家裡，接近退休年齡的人數正以驚人的速度在成長中。因爲醫藥進步，現今過著退休生活的人數不僅比例很高，而且壽命也越來越長，退休後存活超過十年的人數目前已是過去六十年來的兩倍之多。

一九四〇年以前，壽命超過六十五歲的人只占很小的比例，那些沒有經濟能力的人只能餓肚子、一直工作到死亡，不然就只能靠兒女奉養。

從一九四〇年代到二〇二〇年代，估計人類平均壽命將從四十六歲延長到七十二歲，壽命延長超過百分之五十以上。到了二〇二〇年，預計將有超過十億的六十歲人口。

嬰兒潮問題

一九四五年第二次世界大戰結束後，全世界的生育率暴增，帶來了所謂的『嬰兒潮』。這些嬰兒出生於一九四六年到一九六四年間，總計約有七千六百萬人，此刻他們已屆退休的年齡。

每個老人心中都住著一個年輕人——總是想不透究竟發生了什麼事。

已開發國家現在被迫投入更多預算來幫助和照顧老年人口。

很多國家現在已經開始爲國人的退休計畫設置強制性獻金，但是目前面臨的主要問題是獻金來源的在職的人數遠不如退休的人數。以美國爲例，兩者比率已經從一九五二年的九比一降到現在的四比一；日本到了二〇一〇年時，每一個退休者將只剩不到兩個在職者在供養他。這是因爲日本人的平均壽命比其他國家都高，據估計出生於一九九三年的日本女性，平均壽命可望達到八二點五一歲，而男性的平均壽命可望達到七六點二五歲。

各國政府現在正積極解決這個問題，各金融機構也全力搶攻個人退休理財規劃的市場，書局的書架上堆滿了經濟獨立以及退休計畫之類的書籍，而退休諮詢現在已經變成熱門的行業。但是有兩個很緊急的問題卻被大家忽略了：第一，退休對男人在心理層面所造成影響；第二，女人如何和她們的另一半相處，以及如何處理退休對他們生活所造成的影響。

葛拉罕的例子

葛拉罕一直認爲退休後若能住在海邊，一定會像度長假一樣開心，他可以完完全全享受田園詩歌般的幸福生活：做日光浴、游泳、在外野餐、睡到自然醒和完全放鬆。剛開始幾個月裡他的確過著他想要的生活，但是退休的憂鬱感隨即襲來，而且非常嚴重。

他和太太露絲在海邊買了一棟漂亮的房子，空間寬敞又有花園和游泳池，他遞出辭呈後，不到兩個星期的光景就搬進了這棟房子。他們滿心期待著平常假日才有的快樂時光，但是葛拉罕並沒有發現，忙裡偷閒和一輩子都過這種假期生活，其實是不同的。

跟許多已屆退休年齡的男人一樣，工作一直是葛拉罕多年來生活的重心，四十多年以來，他每天起床後心裡很清楚知道自己該做什麼事。如今，這是他人生中第一次不知道該做什麼事，他開始煩惱該怎麼打發時間。從前在職場上，他叱吒一方並且受大家尊敬，他位居要職，參加各種會議，訓練新人並且為大家解決問題。然而現在在海邊，沒有人認識他或者希望他提供寶貴的意見，以往的地位已不復在，他開始想念在工作上與人互動以及腦力激盪的日子。如今他無法再為人解決疑難雜症。

他突然覺得自己已經從工作的快速列車跳到海邊的騾車。不再像以前為了節省時間而同時做兩、三件事，反而故意拉長每件事的時間好填滿他的行程。他原本還期望公司會打電話來尋求他協助，但這個希望也落空，跟以前同事聯絡的電話也越來越少。昨天他還是個大人物，今天他已經是個隱形人。

葛拉罕為突然失去生活重心所苦，因而很快地轉向露絲尋找更多的關注，在她身邊團團繞。他最喜歡、最常問的是『午餐吃什麼？』在他退休之前，露絲高興做什麼就做什麼，現在她分秒都在應付他，他們的關係已經開始緊繃。過了一段時間，情形終於緩和下來，葛拉罕和露絲交了新朋友，事實上，由於過多的午餐和晚餐聚會，葛拉罕不久就變成減肥中心的會員。他已對日光浴感到厭煩，不常游泳也很少在花園裡幹活兒。唉，他現在已經變成以前根本沒有機會當的那種人。他現在每天都在想工作的事，甚至晚上還夢到工作。他懷疑自己的健康出了問題但是從沒有告訴任何人，連對他的醫生也沒說。突然間，在他夢想的退休生活開始後十八個月，葛拉罕心臟病發作而且很嚴重。

一個在商界頗負盛名的企業鉅子參加他退休後的第一場雞尾酒會，他環顧四周看到一位非常迷人的女士然後筆直地朝她走去。『妳好，』他握起她的手說：『我想妳一定知道我是誰。』

女士一臉茫然看著他說：『我不知道，不過你可以去問酒會主人，他一定可以幫你想起來。』

性別與退休

藉由男人跟女人處理年紀增長以及退休的方式，可更清楚地看出兩性大腦結構的不同。女人在現今職場上占了百分之四十到百分之五十的人力，你或許認爲她們退休後面臨的心理問題和男人一樣，但是由於男人和女人的大腦結構以及對事情輕重緩急看法不同，因此退休後面臨的心理問題有非常顯著的不同。對男人來說，退休是十足的災難，嚴重者甚至讓他們提早死亡。同樣的情形也發生在中樂透或繼承一筆龐大遺產時。事情發生的越早，男人的經歷就越悲慘。

大多繼承龐大遺產和中樂透獎的男人最後都落得破產、生病及早死的下場。

許多書籍與研究都在探討如何解決男人退休後所面臨的問題，但是對於退休或身爲家庭主婦的女人卻鮮少有這方面的資訊，因爲她們的主要問題就是如何對付剛退休的男人。

當獵人不再打獵時

有好幾百萬年的時間，男人都是過著一早起來就外出打獵、爲他的家人找食物的生活。男人對於生存的貢獻目標既清楚又簡單——尋找可吃的獵物然後捕殺。因此，男人的大腦逐漸演變出一個特殊的區域以提升他的成功率，這個區域就叫視覺空間區域，專司速度、角度、距離及空間座標的測量，對於現代的男性則有助於他們倒車入庫、看地圖、在高速公路上狂飆、設計電動遊戲、打球類運動以及攻擊移動中的目標。簡單說，這是大腦專司狩獵的區域。下圖綜合了五十名男女的大腦掃描圖，黑色部分代表大腦正在運作中的空間區域。

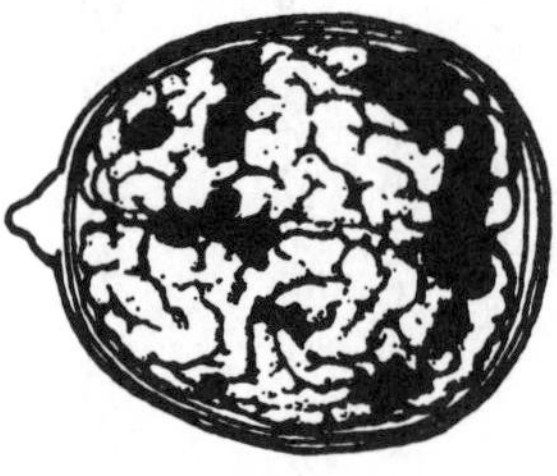

男性

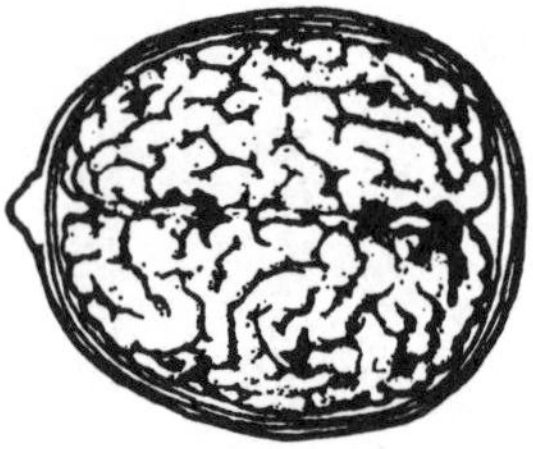

女性

大腦專司狩獵的區域

倫敦精神病研究所，2000 年

數萬年來男人的主要工作就是打獵，所以上圖現代男人大腦的掃描結果是非常合理的。而女人則逐漸演變成家庭守護者，兩性的角色都在確保下一代的生存。他們的大腦依著不同的職責，各自形成有力的區域，如追捕三十公尺外奔跑中的斑馬絕不會是女人的職責。這也解釋了爲什麼女性的大腦中，運作的空間區域會這麼少了。

以往的狩獵者如何變成累贅者

十八世紀末，農耕技術的進步意味著狩獵已不再是食物的主要來源。男人不再因追趕獵物而被需要，爲了彌補這所帶來的沮喪，男人尋找了兩個替代品：工作和運動，兩者都隱含了狩獵時具備的要素：搜尋、追逐、瞄準以及攻擊目標。

因此，現在的球類運動有百分之九十起源於西元一八〇〇年到一九〇〇年之間，在當時是被拿來當做狩獵的替代品，也再次證明了爲何大部分男人如此沈迷於工作和運動而女人卻不會。

現代運動其實是代替狩獵所衍生出來的結果。

緊接著二十世紀又給男人帶來了更大的打擊——退休。不但不再需要去追捕奔跑的獵物，更糟的是再沒有事情需要他們。現代男人退休後的問題也正在於此。他們大腦的狩獵功能仍然完全正常，卻已經沒工作了。雖然配備齊全卻毫無用武之地。不僅如此，他現在正坐在偏僻的海灘上，沒有人認識他，甚至沒有人在乎他。

你知道所有的答案卻乏人問津，這就是退休。

女人如何面對退休

與男人相較之下，大部分的女人都能順利的面對退休，然後『繼續過生活』。男人總是以工作和成就來評斷自己，而女人則是以人際關係的好壞來評斷。關於男女的研究一再顯示，世界各地的男人有百分之七十至八十認爲生命中最重要的莫過於工作，而百分之七十至八十的女人認爲第一順位是家庭。因此，退休後的女人仍保有以往建立的人際關係網絡，也比較容易建立新的人際關係。她們利用多出來的時間繼續做她們以往就在做的事情，或者拿來嘗試她們從前沒有時間嘗試的新挑戰。

男人以成就爲重，女人以人際關係爲重。

退休後，很多女人參加社團以拓展興趣和嗜好。她們可能回到校園重拾書本、花更多時間照顧別人，或參加體育社團。她們所選擇的活動幾乎總會與別人互動。女人的身分是多樣的。在任何時候，她都可以是賺錢養家的人、照顧別人的人、母親、祖母、家庭主婦、善於社交的人、伴侶、妻子與情人，或甚至同時集這些角色於一身。當一個女人結束賺錢養家的生活時，她還能夠以其他的角色繼續她的生活，換句話說，女人一直保有自我。這不是什麼戲碼，她一直扮演著她的角色不曾間斷過，從不退休。

彼得與珍妮佛的故事

珍妮佛一直非常期待跟老公彼得一起過退休後的日子，因爲到時候他們就可以一起實現長久以來夢想著卻沒有時間做的事。他們的小孩都已長大成家，她不需要再爲他們擔心。珍妮佛跟彼得終於可以過屬於自己的生活，雖然結婚已經二十年了，珍妮佛經常覺得自己不了解她的丈夫。他總是在工作，晚上和週末總是在開會或應酬，有時甚至覺得他是個陌生人。現在她覺得他們終於有時間互相了解對方，這簡直就像度第二次蜜月一樣。

隨著退休的日子的到來她眞的很興奮。她當了一輩子的護士，結果發現那是個壓力大、薪水少而且幾乎沒有升遷機會的工作。除此之外，她還得在工作之餘照顧一家大小，剩餘給自己的時間少得可憐，現在終於等到退休，這讓她總算鬆了一口氣。

然而自從彼得也退休之後，每天從起床到上床睡覺，他似乎一直都很不開心，他從不會想要做任何事，只是呆坐在家裡，因爲公司沒有他仍然經營順利而憂鬱，因爲昔日的同事不常打電話來尋求他的經驗與建議而意氣消沈。珍妮佛知道他很沮喪，但卻無法說服他跟自己吐露心事。她覺得他已經完全把她摒除在外。

剛開始她都留在家裡陪彼得，希望有一天他能尋求她的協助。但是幾個月之後，她開始忿恨彼得把自己的退休生活弄得跟他一樣糟。她開始跟自己的朋友出去。她參加社團每個禮拜游泳三次，二天打網球，還參加美術課。後來她開始在社區大學學義大利文。她留在家裡的時間越來越少。

『你知道嗎？』她跟一個很要好的朋友說，『我很高興自己退休了，這種自由……我好喜歡。唯一討厭的是我每天還是得回家。我開始懷疑自己究竟了解彼得多少。這輩子第一次花時間一起相處卻發現我們沒有共同點，我想我們從來都沒有過吧。這些日子以來我不知道自己是否仍愛他，甚至是否還想繼續和他在一起。』

應付退休後的男人通常都是女人一生中面臨最大的問題。它可能帶來爭執、淚水甚至是分居的後果。他似乎總是讓她『礙手礙腳的』，甚至想要操控她的生活，以他曾經對待下屬的方式來對待她，不管她是否需要，也硬給她忠告和解決之道，甚至因爲自己的悲慘而責怪她。

一對七十歲的夫妻在太太堅持運動和吃健康食品下，身體一直很健康。有一天他們倆因爲一場車禍雙雙死亡。在一扇以珍珠裝飾的大門前，天使聖彼得爲他們介紹在天堂的新生活。

首先他介紹一座非常棒的豪宅給他們。『但是這房子要多少錢？』先生問。『這沒什麼，』聖彼得回答，『完全免費，因爲這裡是天堂。』

接著他帶領這對夫妻到房子後一座很棒的高爾夫球場，『但是要多少錢才能入會？』先生問。『這沒什麼，』聖彼得回答，『完全免費，因爲這裡是天堂。』

最後，他帶領這對夫妻到附設的餐廳並且把菜單拿給他們看，菜單上都是有著濃稠奶油醬汁的豐富美味菜餚。『但是我們只吃低脂、低鹽、非乳製品、低膽固醇的餐點。』先生說。『別擔心，』聖彼得說：『這裡是天堂，天堂裡沒有卡路里，你們愛吃多少就吃多少，仍然可以維持原有的苗條和健康。』就在這時候這個先生放聲大哭然後轉向他太太，『妳這百分百的賤人！』他對著她大叫，『如果妳不堅持一定要吃那些健康食品和做運動，我們就可以早十年來這裡報到了。』

為什麼男人不能接受退休生活

退休對於男人來說是一件大事，而且也可能是男人一生中感到壓力最大的時期，不是因爲失去工作，而是因爲失去更重要的東西——自我。

越接近退休的日子，男人越不願面對自己工作生涯即將結束的事實，他認爲自己擁有累積一生的淵博學識與豐富經驗，他的老闆或同事若少了他絕對無法讓工作順利進行，然而事實上他的老闆及同事覺得，即使沒有他的協助，仍然可以把公司經營得很好，通常也都是如此，這讓他覺得自己被狠狠地踢了一腳。

由於無法面對事實，許多男人自我安慰自己可能會被聘爲顧問。這是讓自己覺得很値得的安排。一方面他們不需再花長時間在工作上，另一方面他們仍然是不可或缺的角色。他們可隨時待命回去解決只有他們的學識和經驗能解決的問題。即使他們從來都不喜歡這份工作，他們仍然希望『狩獵團隊』需要他們的支援以繼續追捕工作。

男人總是希望狩獵團隊永遠需要他。

然而對於大多數男人來說希望總是落空，新世代的年輕人總有自己的想法及解決方式，而且他們衝勁十足，勇於嘗試。

工作的最後一天，當注意到同事來評估自己的辦公室，自己的老電腦換成了最新的型號，以及自己的助理開始對別人說『是，遵命』時，男人通常都會開玩笑說自己的末日已到了，但是只有絕少數能了解歡送會上所說的『再見』是指眞的再見。

為什麼許多男人如此迅速走下坡

有些男人若無其事的面對退休，他們認爲這沒什麼大不了。生活步調變得很慢，想做什麼就做什麼。但是除非他們對自己的退休生活已做好萬全的準備，否則這個蜜月期不可能維持得太久。突然失去朋友、同事、原來的地位和自己是重要人物的感覺，很快就會導致憂鬱沮喪。

一個男人失去自我，在許多方面跟面對深愛的人死亡是一樣的。先是否認，接下來是沮喪，憤怒，到最後，但願能夠是接受。

憂鬱症的發生可能是毫無預警的。一開始，退休後的男人對自己的新生活覺得失望受挫，然後漸漸開始凋零，失去生命力而變得沒有活力。他可能覺得自己被摒棄，沒有用處也失去最原始的性慾。他可能開始沈溺於食物、酒精或藥物。他定期感冒或生小病。他可能一再回想過往未能完成的事，而感到懊惱悔恨。及早發現這些症狀是非常重要的，因爲如果他沒撐過來或者沒有尋求專業的協助，憂鬱症會跟著他一輩子，而導致他不快樂、鬱鬱寡歡，而且壽命減短。

退休後沒有周詳計畫的男人將病號不斷。

然而生氣通常是度過憂鬱的指標。因爲自己陷於進退兩難的困境而責怪別人；另一半或家人常成爲出氣筒，因爲『他們不了解我的感受』。以前的老闆因爲害他來不及爲退休做準備，也會成爲箭靶。他無法理解老闆爲何反對他回去當顧問或回去兼職，他覺得自己好像被背叛了。發洩怒氣的方式，往往是接管家中大小事，特別是財務和交際及家庭活動的安排。他現在儼然就是家裡的總裁。

這突如其來的干涉可能令他的伴侶感到非常沮喪，爭執也可能不斷發生。

伊芳的故事

巴瑞在二十歲的時候就已經是合格的水電工，二十五歲就決定自己創業，他一直非常熱中於研究；他喜歡事實和數字，而且非常擅長時間管理。他五十歲那年決定退休，在水電業界已經相當有成就，成爲一家公司的老闆，他也自認爲是個中翹楚。

他一直希望退休後，他跟伊芳能有更多時間一起旅行，並且和他們的子女及孫子相處。等終於盼到了退休之日，不到四個星期之內，這一切卻變成伊芳最可怕、最糟的一場夢魘。

巴瑞現在想要成爲家裡的總裁。不僅如此，他還希望掌控伊芳以及她所做的每一件事！他自願接管家裡的財務並且編列預算給伊芳買菜，他想知道爲什麼她花那麼多錢在他認爲不需要的物品上，事實上他們並沒有金錢上的問題，但是他就是要知道每分錢的用處以及原因，這讓伊芳快發瘋了。

她喜歡買東西，但是現在巴瑞決定他們要一起去買，不但做了行程表，還把他們要去的地方畫成一張地圖，要買的東西列了一張清單，如果伊芳走進一家不在行程表裡的商店，巴瑞就要她解釋爲什麼，還說難道她的衣服和鞋子還不夠嗎？有一次，伊芳想要買一件新內衣，巴瑞坐在換衣間外所謂『爲無聊的丈夫專設的椅子』上，她很快地試穿所有想買的內衣，因爲她不希望巴瑞又因爲她花太多時間而生氣。

這時，在試衣間外的巴瑞並沒有閒著，他正在跟店員以及來買內衣的客人搜集資訊，例如他們有多少件內衣、爲什麼女人會需要那麼多件內衣、爲什麼內衣這麼貴、一件內衣可以穿多久，以及其他這一類有關統計上的問題。不僅如此，他還發表自己的結論，經過審思和分析，他認爲伊芳只需要買兩件內衣就足夠了，如果買多了就是浪費錢。伊芳眞是受夠了。那天她一件也沒買，她決定下次再來買，自己一個人來就好。

巴瑞認爲伊芳如果能學習如何管理時間，那麼她的生活可以安排得更好，因此，他要求她每天早上從八點開始，以小時爲單位記日記。伊芳覺得自己像生活在集中營的囚犯。

『妳明天要做什麼？』他問。『我要去看醫生。』她回答。『看醫生不用一整天，所以妳明天早上要做的第一件事是什麼？』

『我可能會吸吸地，洗衣服或做所有其他該做的事情。』

對於凡事有條有理的巴瑞來說，這很難理解。沒有先做好計畫怎麼能做事？

有一天，爲了幽丈夫一默，她說：『第一件事我要先打掃浴室。』

結果到了十點浴室還沒有洗——因爲她決定先把比較急的衣服洗起來——巴瑞開始焦慮了。如果伊芳沒有依照他手中的行程表做事，他會覺得受不了。他的人生一直是一個小時接著一個小時的行程表。許多事情伊芳認爲合適，他卻不覺得。不過他確實也注意到，一天過去，伊芳該做的事情還是都做完了，而且並不需要任何行程表。

伊芳開始偷溜出去，以遠離巴瑞和他的行程表，『他需要尋找他的新生活！』她告訴朋友，『而我也要我原來的生活！』

一對退休的夫妻坐在餐桌前聊著有關年邁的話題，『最糟糕的事情啊』老太太說：『就是健忘。』

『什麼意思啊？』老先生問。

『我每次事情做到一半都會忘記自己在做什麼，』她說，『上個禮拜有一天，我站在樓梯頂端，突然忘記我是剛上了樓還是正要下樓。』

『哈！』老先生說：『我從來沒有那樣的問題。』

老太太哀愁地笑了一下，『然後昨天我坐在車裡，心想自己是剛上車要去什麼地方，還是已經回到家正要下車。』

老先生哼了一聲說：『我從來都沒有那樣的困擾，』他仍然很堅持，『我的記憶力依然好得沒話說，老天保佑，摸摸木頭吧⑭。』

他在桌上敲兩下，突然一臉錯愕的表情。

『是誰在敲門？』他喊說。

退休的負面影響

如果因爲彼此能力不同、角色不同，而導致夫妻之間開始吵架，那麼情況就相當危險了，因爲他們已經開始覺得彼此不能相容共存。太太可能覺得原本快樂、規律的生活被破壞了，並因此滿腹牢騷。在她們生命中這可能是第一次從早餐、午餐到晚餐都可以看到自己的丈夫。她們看到自己的丈夫即使是很閒也不會幫忙做家事，漸漸地心中的怨恨、忿怒油然而生。一旦爆發開來，男人覺得自己被否決、被誤解，覺得自己一無是處。當事情發展到很嚴重的地步時，則可能導致分居、離婚，甚至引發自殺的念頭。

男人在安然度過退休的前三個階段後，通常都能接受新的生活方式，並且能著手計畫一個快樂有用的新人生。

坦然面對這三個階段是很重要的，男人如果尚未全盤計畫好自己的退休生活，將可能耗費許多年的時間來調適。如果無法快速安然度過，應該尋求專業諮詢協助，以避免負面

譯註⑭：自誇幸運後，爲避免觸怒復仇女神(Nemesis)而做的迷信動作。

的態度演變成長期的孤獨與痛苦。

男人從壓力大的工作退休後，若無所事事容易早逝。

在西方和歐洲國家，男人退休後無所事事者，通常只活了五年。而從壓力大的工作退休的男人，例如高級主管和醫生，他們的壽命則減至二年五個月。這些男人從原來紀律嚴謹及組織完善的環境，一下子落到全然皆無的環境。

一個男人花了三十到四十年的時間在組織嚴謹、目標明確的工作環境中，因此他的退休計畫也應該一樣嚴謹明確。隨著退休年齡越來越早、平均壽命越來越高、健康狀況越來愈好的趨勢，退休後生活勢必也隨之延長，因此我們也應投入更多的關注。這兩個人生階段最主要的不同，在於現在他握有完全的主控權了。他可以做攸關他下半輩子的所有決定。

積極的計畫

早在退休多年前就已經該開始做計畫了。雖然這可能常因提早退休而無法做到。你也可能已經退休，而且正處於退休後期的階段了。但是一般來說，越早開始計畫對你越有利。

研究顯示，越早著手退休計畫，健康狀況越好，活得也越久。

以面對大案子的態度處理你的退休計畫。著手寫一份計畫，最好拿紙筆親手書寫。先大略概述你想要的退休生活，然後一一列出其中的要項並寫出細節。和你的另一半討論計畫內容，因爲那個人最有可能和你一起執行這個計畫。事先計畫可以幫助你面對即將到來的處境，以及任何可能突發的問題。

一個老婦救了仙女一命，仙女給她三個願望以爲報答。第一個願望，這女人說希望自己變得年輕又漂亮，突然間她就變得年輕又美麗；第二個願望，她希望變得有錢，願望也馬上實現；第三個願望，她指著她的愛貓要求把牠變成一位英俊的王子，貓馬上變成迷人的王子。

仙女隨即消失在空氣中，英俊的王子走向這個女人微笑著說：『現在，』他握著她的手，『妳是否後悔把我閹了？』

社交活動

這些活動應該把男女各自的活動也包括在內，也就是說有的活動和各自的朋友參加，有的活動一起參加。例如，男人可以自己報名參加社區大學的投資課程，然後跟一群自己的男性朋友一起加入高爾夫球俱樂部；而女人可以去上美術課，然後每星期跟一票女性朋友去看幾次電影。擁有各自的活動和朋友是很重要的，因爲當兩個人在一起的時候他們將有說不完的話題，同時也能保有獨立的自我，而不致於彼此同化宛如相同的個體。

另外一個好處是他們各自都能結交到好朋友，並且帶回來給彼此認識。

至於兩個人的活動，夫妻倆可以一起報名參加舞蹈課，或參加健行俱樂部，每個星期都到郊外健行個幾小時。

健康

先徹底做個全身健康檢查，去讀一讀專爲退休者所寫的書以養成良好的飲食習慣。如果體重超重，尋求專家建議，減掉多餘的體重。現今坊間有很多各式各樣的運動計畫以因應不同需求。走路是很不錯的選擇，你也可以考慮跳舞、游泳或騎腳踏車。運動需要時間，但這時期你最多的就是時間呀！越常運動，你就能活得越久，生活的品質也越好。

運動

退休讓許多男人有機會參加他們一直沒時間參加的運動，這些運動還可以運用他們原本狩獵、追逐和運用空間技巧的潛能，例如打高爾夫、釣魚和木球。比較不激烈的例如射箭、保齡球和打靶也能提供空間性的娛樂。

爲什麼稱之爲高爾夫球？

因爲其他不雅的字已經被用完了，他們只好倒過來拼⑮。

社區或慈善工作

對於大多數退休的人來說，這個活動帶給他們無比的滿足與自我價值重建。這是回復男人自尊心的重要關鍵。因爲男人最迫切需要的，就是覺得自己很重要。當男人工作生涯結束，部分自我以及角色不再是大圖中的某一角，他不再覺得自己是個重要人物。他必須很快再爲自己找一個新的身分。

無論男人退休前從事哪一種行業，他一定身懷許多絕技是別人想要學習的，可能是某種貿易知識、電腦技巧或金融知識。任何知識或經驗，如園藝、修理房子、油漆粉刷、募款等，都可以傳授給其他人。除此之外，也有許多與教會有關的慈善活動需要幫手，以及各式各樣發起募款以救助他人的社會組織需要熱心義工。

心靈活動

譯註⑮：golf（高爾夫）爲flog（鞭打）倒過來拼而得的字。

心靈活動通常都隱含在宗教信仰活動裡。如果沒有，那麼試著找出符合你人生哲學的信仰系統，或者你也可以參加冥想或瑜伽這類的活動。

性

一個快樂健康的人生當然也包含圓滿的性愛關係。有伴侶的男女應爲這檔事挪出時間，特別是遇到特殊的狀況更需要彼此安慰的時候。醫師的處方藥如威而鋼，意味著有愈來愈多男女即使到老年也能享受性愛。如果身旁沒有伴侶，那更有理由找一個異性伴侶，而且不要因爲害羞而拒絕親密關係的發生。

一天晚上，七十五歲的艾伯特站在養老院的餐廳裡，看著廳裡每一個正在用餐的女人。『嘿！各位女士，』他大聲喊說：『只要有人猜得出我手裡拿著什麼東西，今天晚上就可以跟我一起睡覺。』

每個人都驚訝得目瞪口呆，現場一片寂靜。終於一位較年長的女人喊說：『一棟房子！』他看著她，『沒錯！』他喊回去，『答案夠接近了！』

財務計畫

關於這一點有兩個選擇：了解到你的退休金是有限的，然後審愼計畫該如何靠它們養老，或者計畫再賺更多錢。許多男人在退休之後反而展開另一段成功的商場生涯，也有人找了一份臨時的工作，並且讓自己原有的知識、經驗或技巧再度派上用場。

讓生活有組織

完善的退休計畫應該是一種充實而有組織的習慣。在你退休之前，一天之中有百分之九十是例行且有組織的活動。你在工作時，不需要特別費心計畫今天早上六點半起床，然後開車去公司，八點開始上班；你反正每天就在做同樣的事。你工作上可能會遇到不同的問題，但大多時候你都能依循前例來解決它。整體來說，你的人生是例行公事，這讓你覺得自在，一切都在自我掌控之中。

退休之後，舊有的習慣已不再適用。除非你已經計畫好，否則每天早上一醒來，你就必須決定要不要起床，等你起床後，你還要決定接下來要做什麼，即使像是否要走去商店買一份報紙回來，然後煮咖啡坐下來看報紙這樣簡單的事都要做決定。結果不知不覺午餐時間就到了。午餐之後，如果沒有什麼重要的事，你還得決定是看本書呢，還是去睡個午覺。

這樣的事情，在你一退休後連續做個三十天，它就會成爲你的新習慣，而且很難改掉它。也就是在這個時候，那股強烈覺得自己一無是處的感覺就會襲擊而來。

相反的，如果你計畫在固定的時間起床然後走路三十分鐘，把它變成每天有系統的活動，這樣持續三十天之後，這也會變成你的新習慣。你不需要再一直決定下一步該做什麼事。你的生活會變得有規律，再加上如果選擇了適當的活動參加，那麼你將會發現全新的自我，有目標，生命也變得更有意義了。學習新事物從來不嫌晚。你或許想寫書、當老師，或練習不同的運動，成爲慈善組織的領導或成員，或成立新組織或社團，以創辦人的身分得到大家的認同尊敬。搞不好你還會想脫光光，當一個裸體模特兒也說不定。只要做好完善的計畫，任何事都有可能。

坐在海灘的椰子樹下什麼事都不做，就這樣度過你的餘生，這樣的想法根本是退休基金和樂透獎金搬出來的神話。那只會讓你不斷發福、變笨、變愚蠢，外加皮膚被太陽曬傷。大部分男人只能過幾個禮拜這樣的生活，然後就會發瘋，不然就是被他太太謀殺。

保羅與戴娜的故事

保羅是個會計經理，他的工作一向充滿目標、期限和業績。他預測自己應該在六十五歲的時候退休，然而當他五十七歲的時候，他們的公司被原來的競爭者併購，儘管多年來對公司忠心耿耿，如今卻在一夜之間被列入解雇的名單上。當他聽說公司的新老闆要從外面找新的會計團隊，而且和他有很不同的意見時，他就知道一切都完了。

他太太戴娜早他三年退休也很期待保羅的退休，她非常享受自己現在的退休生活，她有許多時間去做以前一直想要做的事，而現在她多希望能跟保羅一起分享她新發現的快樂。

戴娜注意到保羅因爲解雇的事而悶悶不樂，一個人坐在那裡一直喝酒變得很憂鬱，酒喝得越多他就越憂鬱，越憂鬱就喝越多酒，保羅的健康開始走下坡而且速度非常快。

戴娜當下決定保羅需要專業的協助，她說服保羅去見一個聲譽很好的諮商師，是專門解決剛退休男人的問題。這諮商師協助保羅了解他爲何有目前的感受，並且告訴他應該如何處理自己人生的下一階段。保羅決定接受諮商師給予他的挑戰。

首先他去做了全身健康檢查，接著見了理財專家，然後他們一起去度假放鬆自己，最後計畫他們未來的生活。

身體檢查結果顯示，除了體重超過九公斤，有一點高血壓和膽固醇過高之外，保羅身體狀況都不錯。他去看使用自然療法的醫生，醫生教導他健康的飲食習慣，並且爲他設計了一套運動課程。

當你的背漸漸向後凸，你的牙卡在牛排裡時，你得承認自己老了。

理財專家眞的讓保羅放心不少。首先，他幫助他們夫妻倆做了一份精細的理財計畫。再來他解釋保羅的遣散費加上原來的存款和投資，以及他和戴娜兩人的退休金，絕對足以支應之前已算好的預算需求。十到十五年之後，他們現在房子的價值，也絕對足以支應他們在養老院的生活，如果他們有此打算的話。

聽完這些建議之後，保羅覺得自己肩頭的重擔終於放下來了。下一步他們終於可以帶著輕鬆的心情去度假。他們開始計畫旅程，這可是個二十五年甚至更長久的旅程呢。

下一個要面對的是一項很大的挑戰，他們要決定接下來的人生要做什麼。他們需要一個融合個人和兩人共同目標的計畫。

首先他們決定修正飲食習慣，把以前舊的食譜都丟掉，換上符合他們飲食需求的健康食譜。接著他們達成共識，每天至少要快步行走四十五分鐘以上，並且參加健行俱樂部以確保每個月能有長距離步行的機會，這同時也增加他們認識新朋友的機會。他們報名學習太極拳，因爲他們學太極拳的朋友看起來總是一副輕鬆自在而且平靜的樣子，而且這運動也有益健康。戴娜本來一星期就會去打一次網球，而且是俱樂部的委員之一。她還參加拼布社團，並且嘗試寫書。

保羅以前打過幾次高爾夫球，雖然樂在其中但是卻沒有時間常常去。現在他已經參加一個俱樂部而且決定打個過癮。

他們的經濟狀況讓生活開銷無虞，但是也沒有空間讓他們鋪張浪費。保羅因此決定參加成人教育有關簿記方面的課程，並把他們每月的開銷控制在能夠支應的範圍裡。

最後還有一個計畫，就是社區或慈善工作。『我們這一生爲那些較不幸的人做了什麼？』他們這樣問自己，『誰是最需要關心的人？』最後得到的結論是，他們覺得最大的成就在於撫養出四個快樂、成功且品行端正的小孩。保羅一直很在意青少年的福利，也了解這些青少年如果沒有家庭的支持，會遭遇什麼樣的問題。因此他決定參加青少年諮詢課程，將來好成爲青少年輔導老師。

這對夫妻把這份計畫變成白紙黑字，並列出時間進度。當他們坐下來審視自己的計畫時，他們覺得很興奮而且等不及要開始執行。

如今，保羅和戴娜又健康又快樂，享受人生又能幫助別人。他們太忙了以致於需要詳細的時程表來輔助他們。退休對於他們來說，是他們這一生最棒的時期。當男人和女人要花這輩子最長的時間共同相處時，學會《爲什麼男人愛說謊、女人愛哭？》這本書裡的建議是很重要的。因爲唯有如此，他們才能快樂地、和平地、深情地住在一起，才能了解彼此的強項以及弱項，也才能從這段付出許多的關係中，獲得最大的好處。

我們堅信運用《爲什麼男人愛說謊、女人愛哭？》裡所提供的辦法，一定可以幫助男女建立更親密、圓滿及性感的生活。用你的智慧善用它們。祝你好運！

日本年度10大暢銷書！熱賣逾100萬本！
橫掃全球排行榜！暢銷突破7,000,000本！

為什麼男人不聽，女人不看地圖？

Why Men don’t listen & Women can’t read maps ?

亞倫・皮斯&芭芭拉・皮斯
Allan Pease & Barbara Pease ◎著　羅玲妃◎譯

路克和我到餐廳用晚餐，我送他一對漂亮袖釦，但他只喃喃說了聲『謝謝』就放進口袋，他的情緒很怪，我以爲他不說話是在懲罰我遲到。到家後，路克打開電視，兩眼茫然的盯著它看。從他眼裡流露出的訊息，我終於明白這陣子我所懷疑的事情是眞的——他一定有了別的女人！我先上了床，十分鐘後路克也來了，讓我訝異的是他竟然擁抱我，我們做愛了，可是完事後他只是翻過身熟睡。我最後哭著睡著了。感覺一切都要結束了……

路克那晚在想的是：英國隊輸了。不過剛才那場嘿咻還眞不賴……

- 為什麼男人在看報紙時，會聽不到把垃圾拿出去丟的要求？
- 為什麼男人無法同時處理兩件事？
- 為什麼女人的停車技術很爛？
- 為什麼男人無法應付情緒化的女人？
- 為什麼女人很多話而男人卻不愛說話？
- 為什麼男人喜歡看色情圖片，而女人卻一點興趣也沒有？
- 為什麼女人偏愛嘴巴說說而不愛實際行動？
- 為什麼男人需要的是性，而女人渴望的卻是愛？

男人和女人常搞不懂為什麼自己總是和對方『意見不合』？本書便將幫助你更了解自己，也更了解這個世界上『另一半的人』，進而充分享受更愉悅、更和諧的兩性生活！

Why not use Allan Pease as guest speaker for your next conference or seminar?

Also by Allan Pease:

Video Programs
- Body Language Series
- Silent Signals
- The Interview
- How to Make Appointments by Telephone

DVD Programs
- The Best of Body Language
- How to Develop Powerful Communication—Managing the Differences Between Men and Women

Audio Programs
- The Four Personality Styles
- How to Make Appointments by Telephone
- How to Remember Names, Faces & Lists
- Why Men Don't Listen and Women Can't Read Maps
- Questions are the Answers

Books
- The Definitive Book Of Body Language
- Why Men Don't Listen & Women Can't Read Maps
- Why Men Lie & Women Cry
- Why Men Can Only Do One Thing At A Time & Women Never Stop Talking
- How Compatible Are You?
- Talk Language
- Write Language
- Questions Are The Answers
- The Bumper Book of Rude & Politically Incorrect Jokes
- Politically Incorrect Jokes Men Love

國家圖書館出版品預行編目資料

為什麼男人愛說謊，女人愛哭？／ 亞倫・皮斯 & 芭芭拉・皮斯著；羅玲妃・陳麗娟譯. -- 初版.-- 臺北市 ： 平安文化，2004(民93)
面；公分. --(平安叢書；第258種)(兩性之間；26)
譯自 ：Why men lie and women cry
ISBN 957-803-495-4(平裝)

544.7　　93016337

平安叢書第0258種
兩性之間 26

爲什麼男人愛說謊，女人愛哭？

Why men lie and women cry

作　　者—亞倫・皮斯&芭芭拉・皮斯　譯　　者—羅玲妃・陳麗娟
發 行 人—平雲
出版發行—平安文化有限公司
台北市敦化北路120巷50號　電話◎2716-8888
郵撥帳號◎1526151～6號
香港星馬—皇冠出版社(香港)有限公司
總 代 理　香港灣仔告士打道88號19樓
電話◎2529-1778　傳真◎2527-0904
出版統籌—盧春旭
編務統籌—孟繁珍　版權負責—莊靜君
美術設計—王瓊瑤　外文編輯—梁若瑜
校　　對—陳秀雲・余素維・孟繁珍
印　　務—林莉莉・林佳燕
著作完成日期—2002年
初版一刷日期—2004年10月
初版八刷日期—2005年1月

法律顧問—王惠光律師

讀者服務傳真專線◎02-27150507
皇冠文化集團網址◎http://www.crown.com.tw
電腦編號◎380026　◎ISBN 957-803-495-4
Printed in Taiwan
本書特價◎新台幣250元／港幣84元